**POCHE COULEURS
LAROUSSE**

V. Stevenson

l'art du
bouquet

Librairie Larousse

17, rue du Montp

AVANT-PROPOS

Vous pouvez utiliser les fleurs en toutes circonstances : rehausser votre ameublement, décorer votre table, donner de l'ambiance à votre soirée. En offrant un sujet de conversation dans une réception, elles permettent de briser la glace entre les invités ; dans un concours, elles suscitent beaucoup d'intérêt. Ce livre donne tous les conseils. Recherchez avant tout la simplicité ; les plus jolis bouquets sont généralement composés avec facilité. Vous trouverez ici tous les renseignements sur les fleurs : cueillette, transport, méthodes de séchage, art de la décoration. L'harmonie des couleurs est primordiale ; les planches aideront les novices à comprendre.

A fleurs différentes, disposition et vases différents. Il est surprenant de constater la variété d'ustensils qu'on peut utiliser comme porte-bouquets : boîtes à thé, cendriers, tout est valable. La plupart des végétaux — fruits, feuilles, légumes, épis —, et même le bois, sont d'excellents éléments de décoration.

Avec ce livre pour guide, même un débutant peut découvrir un passe-temps intéressant qui lui procurera plaisir et fierté. De plus, de magnifiques illustrations en couleurs aident à la compréhension du texte.

illustrations de G. Thompson,
J. Baker et E. Wrigley

traduit de l'anglais
par D. May

© The Hamlyn Publishing Group, Londres, 1969.
© 1970. — Librairie Larousse, Paris,
pour l'édition en langue française.

TABLE DES MATIÈRES

INTRODUCTION

La meilleure méthode d'enseignement nous est donnée par l'exemple; j'ai déjà eu la chance d'exposer ma conception de l'art du bouquet et de faire profiter les autres de mon expérience tant par la parole que par l'image. Mais c'est la première fois que j'ai l'occasion de m'exprimer dans un livre tout en couleurs. Quel merveilleux avantage! On peut écrire des pages sur l'harmonie des couleurs, les contrastes et les ressemblances; tenter d'expliquer les subtilités des teintes et des nuances; mais les mots sont insuffisants. C'est tellement mieux pour moi de pouvoir accompagner mes descriptions d'illustrations en couleurs.

Les fleurs doivent être disposées avec élégance et habileté; il faut donc savoir et comprendre en quoi consiste l'art de confectionner un bouquet. Il existe certaines règles qui peuvent servir de guide à condition, toutefois, de ne pas les suivre à la lettre. Il y a également de nombreux « trucs » de métier grâce auxquels on épargne son temps et ses fleurs. Quelques-uns servent à prolonger la

La pratique de l'art du bouquet vous donne de grandes joies. Quelques fleurs disposées simplement, et chacune est mise en valeur.

Même dans une composition florale de dimensions imposantes, chaque fleur doit avoir la place de respirer.

vie des fleurs coupées; d'autres nous permettent de les conserver et, par conséquent, de profiter un peu plus long-temps de leur beauté.

Je suis fermement persuadée que, mis à part l'élément esthétique, l'art du bouquet est absolument rentable car il vous en donne pour votre argent! Si vous comprenez cela, vous pouvez faire une décoration à l'aide d'une seule fleur. Et cependant, si votre jardin regorge de fleurs, en un rien de temps vous en remplirez votre demeure de telle sorte qu'elles mettront en valeur tout leur entou-rage, et ce merveilleux couronnement sera votre récom-pense. La décoration florale, quel plaisir!

PREMIERS CONSEILS

Si vous voulez conserver longtemps vos fleurs après les avoir rapportées chez vous, assurez-vous, à l'achat, qu'elles présentent les meilleures conditions. La vue de jolies fleurs destinées à la vente me rappelle toujours l'anecdote racontée par un grossiste : un horticulteur venait de lui téléphoner pour lui dire qu'il avait une serre pleine de fleurs déjà aussi belles que possible. « Si c'est le cas, vous pouvez les garder », lui répondit mon ami. « Pour moi, elles ne valent rien si elles vous semblent si belles à vous! C'est après leur arrivée chez le client que je les veux épanouies! »

Un grand nombre de fleurs ne devraient être vendues qu'en boutons : tous les narcisses, y compris les jonquilles, les iris, les tulipes et beaucoup de fleurs bulbeuses qui s'ouvrent toutes dans l'eau. Non seulement ces fleurs supportent mieux le transport quand elles sont en boutons, mais elles durent plus longtemps dans les maisons et on a le plaisir de les voir s'épanouir.

La vraie fonction d'une fleur, c'est d'en féconder une autre ou de se faire féconder, sinon les deux. Dès qu'une fleur atteint sa maturité, elle commence à se faner et rien ne peut l'empêcher. Certaines fleurs arrivent moins

vite à ce stade, mais le pollen qui se répand est un signe que la fleur a atteint, ou peut-être même dépassé, sa maturité.

Les fleurs doubles comme le chrysanthème, où les étamines ne sont pas apparentes, doivent présenter à la place un groupe de jeunes pétales encore assez serrés pour former une petite cavité au cœur de la fleur. Lorsqu'une mince anthère bouclée dépasse les pétales d'une fleur double telle que l'œillet, c'est que la fleur est trop avancée. Il faut que l'extrémité des queues ait l'air fraîche et saine, sans traces visqueuses et sans taches brunes.

(A gauche) Achetez les narcisses en boutons. Ajoutez-les aux fleurs de la semaine précédente, soit dans le même vase, soit à part comme dans cette petite balance de cuivre.

(A droite) Les chrysanthèmes fraîchement éclos ont un cœur de jeunes pétales souvent verts. Les sépales des anémones ne sont pas à maturité et il n'y a pas de pollen sur la base de leurs pétales. Seul, le fleuron inférieur des glaïeuls doit commencer à s'ouvrir. Les narcisses doivent être en boutons et les pétales des tulipes encore recourbés vers l'intérieur.

Il faut couper tous les pavots au moment
où le bourgeon éclate.
Les pétales froissés
s'ouvriront progressivement
et deviendront lisses.

Comment et quand cueillir les fleurs

C'est en allant de bonne heure au jardin cueillir les fleurs que vous aurez le plus de chances de les voir s'ouvrir, avant qu'elles n'aient reçu la visite des abeilles. Après une longue nuit fraîche, les tiges sont gonflées et les cellules gorgées d'eau.

On dit que les roses durent plus longtemps par temps ensoleillé lorsqu'on les coupe à midi.

Si on cueille les roses encore trop en boutons, les pétales ne se développeront jamais convenablement. Le calice qui les recouvre et les protège au début doit s'écarter. Il est donc plus sage d'attendre qu'un pétale au moins se soit séparé de l'ensemble.

Beaucoup de marguerites absorbent mal l'eau si elles n'ont pas été coupées à la bonne période. Les fleurons périphériques doivent être épanouis alors que ceux qui forment le « cœur » ne sont pas encore à maturité.

On peut cueillir presque toutes les fleurs bulbeuses en boutons dès que la couleur apparaît. Si vous voulez que le bulbe donne des fleurs l'année suivante, couper la

Pour les espèces qui comportent plusieurs fleurs sur la même tige, attendre l'éclosion de la première pour les cueillir. Les autres s'ouvriront lorsqu'elle commencera à se faner. Servez-vous d'un sécateur bien aiguisé pour couper les pois de senteur. Ne tirez pas sur la vrille.

Coupés trop tôt, les boutons de roses ne s'ouvriront jamais dans l'eau. Quelle que soit leur variété, roses de jardin ou hybrides modernes, leur calice sert de guide. Attendre que les sépales commencent à s'écarter.

tige le plus court possible ou, en cas de tige lisse comme le narcisse, laisser le maximum de feuilles. Ne prendre qu'une ou deux fleurs sur chaque pied. Quand les boutons de narcisse se recourbent, ils sont à point.

Pour les glaïeuls et leurs semblables, attendre que le fleuron le plus bas se colore.

Quant aux lis, ils doivent tout juste commencer à s'ouvrir. Certaines personnes ôtent les anthères porteuses de pollen dès que les pétales s'écartent.

On peut couper les rhododendrons sitôt que les boutons deviennent gluants, et les arbustes qui fleurissent de bonne heure, en début d'année par temps humide.

Pour une absorption rapide de l'eau, coupez en biseau
2 ou 3 cm de tige.

Comment rendre les fleurs résistantes

Si l'on veut conserver aux fleurs leur fraîcheur initiale,
il ne faut pas les laisser se flétrir. Avant de composer
un bouquet, il faut les « aguerrir » en les abreuvant longuement. Pour éviter qu'elles se fanent, un conseil : toujours utiliser de l'eau tiède, non seulement la première
fois qu'on leur donne à boire, mais aussi pendant la
confection du bouquet.

(Ci-dessous, à gauche) Sectionnement des tiges au-dessus des nœuds.
(Ci-dessous, à droite) Suppression des feuilles alternes.
(Page ci-contre) Comment couvrir les ellébores, couper les tiges dans
l'eau, défeuiller l'extrémité des tiges.

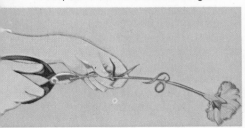

Pour simplifier, disons qu'une fleur dégage son humidité et respire par les mêmes pores. Si les conditions sont défavorables, l'eau rejetée n'est pas remplacée assez vite et la fleur se fane. La fleur continue à respirer hors de l'eau mais elle se déshydrate. Se contenter de plonger l'extrémité de la tige dans l'eau est insuffisant; en recouvrant tiges et feuilles, on évite une perte d'eau et la fleur est rapidement alimentée par les cellules de la tige.

C'est pourquoi il est bon de faire boire abondamment fleurs et feuillage avant de les disposer. Cette règle comporte quelques exceptions dont nous parlerons plus loin. Cependant, il faut d'abord s'assurer que les tiges sont en état de remplir leur rôle. L'une des causes principales de flétrissure est une bulle d'air qui se forme dans la tige quand on la coupe et qui empêche l'eau d'atteindre la fleur. Pour remédier à cela, il suffit généralement de recouper la tige un peu plus haut et de la plonger immédiatement dans l'eau.

Une autre méthode, valable pour les tiges creuses comme celles du delphinium, consiste à recouper les queues dans l'eau. Une longue entaille en biseau se révèle efficace pour toutes sortes de fleurs.

Lorsque les feuilles sont nombreuses, surtout pour les fleurs à pétales fragiles, il peut être nécessaire d'en ôter quelques-unes pour restreindre la surface de déshydratation. Il est souvent bénéfique de couper une feuille sur deux. Effeuiller complètement la tige ôterait son caractère à la fleur. A couper : toutes les feuilles qui seraient plongées dans l'eau ainsi que celles qui se trouvent près de la fleur et pourraient la cacher, dans le cas des roses par exemple.

Les fleurs délicates et fragiles comme la gypsophile, les frondes de fougère, les jeunes feuilles tendres doivent être passées doucement dans l'eau.

Le transport des fleurs

Beaucoup de fleurs se fanent durant le transport, faute d'être convenablement emballées. En général, il suffit de couper le bout des tiges et de les tremper dans de l'eau tiède pour leur rendre la fraîcheur, mais d'autres soins sont parfois nécessaires. L'eau est lourde et si on les immerge ne fût-ce qu'une minute, fleurs ou feuilles

Quand vous achetez des fleurs en hiver, veillez à ce que le fleuriste les enveloppe entièrement afin que tiges et fleurs soient protégées. Par temps rigoureux, une double feuille de papier les préservera du froid.

se meurtrissent et se décolorent. Au contraire, il faut passer doucement les fleurs fragiles dans une bassine pour que les pétales retiennent l'eau comme des gouttes de rosée. Ensuite, secouer légèrement pour éliminer le surplus d'eau, couper les tiges et les plonger dans l'eau tiède. Cette méthode est salutaire à certaines fleurs mais d'autres s'abîment si on les laisse mouillées : par exemple, les pois de senteur et les pensées. Toutefois, on peut éviter la détérioration en secouant les fleurs.

Pour les transporter, coupez les fleurs et emballez-les lorsqu'elles sont sèches, sans leur donner à boire. Il faut qu'elles se déshydratent le moins possible. Rappelez-vous que le meilleur emballage pour une fleur, c'est une autre. Les fleurs serrées l'une contre l'autre dans une boîte ou un sac de plastique s'abîmeront beaucoup moins que celles qu'on a séparées par de la mousse ou du papier. En tout cas, il faut éviter à tout prix le papier absorbant.

A mon avis, la meilleure façon de transporter les fleurs, c'est d'utiliser des sacs de plastique transparent. Grouper les fleurs par longueur de tiges et catégorie. Ne pas mettre des roses avec des fleurs aux pétales délicats : les épines pourraient les abîmer. Mettre les fleurs droites dans le sac, les tiges en premier. Laisser assez d'espace entre la tête des fleurs et l'ouverture du sac : cette couche d'air est protectrice. Une boîte en fer ou en plastique peu profonde et bien fermée est le meilleur emballage pour les capucines ou les pensées. Tenir sacs et boîtes à l'abri du soleil. C'est ainsi que je transporte les fleurs, même en plein été.

Pour rapporter sans inconvénient des fleurs de la campagne, les mettre dans un sac de plastique résistant. Débarrasser les roses de leurs épines avant de les empaqueter et laisser assez de feuillage, le plastique ne risquera pas de se déchirer. Fermer le sac aussi hermétiquement que possible pour éviter l'évaporation pendant le voyage.

Il faut beaucoup d'humidité aux violettes pour qu'elles ne meurent pas rapidement. Les mettre dans un verre à dégustation sur du gravier mouillé.

Comment prolonger la vie des fleurs

Pour prolonger la vie des fleurs, le facteur le plus important est l'utilisation de récipients et d'eau propres. Lavez toujours les vases après usage. Pour garder l'eau claire et saine, veillez à ce que la partie de la tige qui trempe dans l'eau soit débarrassée de ses feuilles. La plupart des feuilles se décomposent dès leur immersion, ce qui accélère l'action des bactéries. Les pires de toutes sont celles des marguerites. Les feuilles de rose ne se fanent pas avant les fleurs et il est même recommandé d'en laisser quelques-unes sur la tige, car il est reconnu qu'elles nourrissent les fleurs. Les plantes vertes sont également longues à se décomposer. Mais, en général, il est préférable d'ôter les feuilles du bas.

Les fleurs sont sensibles à certaines solutions nutritives. Une cuiller à café de sucre ou la pointe d'un couteau de miel par demi-litre d'eau convient à toutes.

Si l'on souhaite garder longtemps des branches fleuries ou à feuilles persistantes, on peut les fortifier grâce à une légère solution nutritive. Un fertilisant pour roses, par exemple, est tout indiqué.

L'emploi d'un engrais exige doublement que l'eau ne soit pas polluée. L'aspirine conserve effectivement sa limpidité à l'eau mais seulement parce qu'elle retarde l'action bactérienne. Une pièce de monnaie en cuivre produit à peu près le même effet; l'eau reste plus longtemps douce dans des récipients de métal que dans du verre. La mousse synthétique de certains pique-fleurs contient du formaldéhyde qui empêche la putréfaction. L'eau de pluie est meilleure que celle du robinet.

Certaines fleurs durent plus longtemps dans peu d'eau, par exemple les pois de senteur. C'est également le cas pour presque toutes les fleurs bulbeuses, mais plonger d'abord les tulipes hâtives dans beaucoup d'eau.

Si une fleur (sauf une bulbeuse) est très fanée, tremper la tige dans 5 cm d'eau bouillante.

Grâce à certaines nourritures facilement assimilables, les fleurs durent plus longtemps. Additionnez l'eau de sucre, de glucose ou d'une solution nutritive appropriée.

Il n'est pas nécessaire
de changer quotidiennement
l'eau des fleurs;
dans les récipients plats
qui conviennent aux fleurs
bulbeuses, elle s'évapore
et il faut en rajouter.

Les branches fleuries durent
plus longtemps si elles ne sont
pas dérangées. Un récipient
à col étroit empêche
l'évaporation. Rajouter de temps
en temps un peu de solution
nutritive. L'eau se conserve
mieux dans du métal.

Soins et traitement des bouquets

Une fois les fleurs placées, il ne devrait plus être nécessaire d'y toucher avant de remplacer le bouquet. Si l'eau est devenue sale, emporter le tout jusqu'au robinet et faire couler de l'eau fraîche dans le récipient.

Dans les pièces chauffées, beaucoup de fleurs se trouvent bien d'une légère vaporisation d'eau propre à la température ambiante. Les violettes, qui poussent dans le froid, apprécient ce traitement. Les chrysanthèmes durent plus longtemps si pétales et feuilles sont vaporisés une ou deux fois par jour. Les fleurs du type de l'œillet semblent ne pas se faner trop vite.

Les fleurs se flétrissent parfois inexplicablement. Sortez-les du bouquet, coupez le bout des queues et faites-les tremper dans 5 cm d'eau bouillante que vous laissez refroidir. Cette méthode est valable pour toutes les fleurs sauf les bulbeuses, dont les tiges seraient « cuites » par l'eau chaude. Seules parmi les bulbeuses, les tulipes ne tiennent pas toujours bien. Dans ce cas, recouper les queues dans l'eau. Les faire ensuite tremper dans l'eau tiède pour les tonifier.

Le lilas et autres arbustes, de serre ou de jardin, se fanent souvent très vite. Couper les branches latérales, fendre les extrémités et arranger séparément.

Pour prolonger la vie
de nombreuses fleurs,
dont les œillets qui supportent
mal une atmosphère surchauffée,
vaporisez directement les feuilles
et les fleurs et, si besoin est,
la zone d'air qui les entoure.

17

On retrouve dans les fleurs toutes les couleurs du spectre.
Les feuilles, les tiges, les graines et les fruits apportent
une grande diversité de teintes et de demi-teintes.

L'IMPORTANCE DES COULEURS

Les couleurs de l'arc-en-ciel sont les seules qu'on trouve
dans la nature. Elles forment le spectre solaire. Parmi
elles, trois couleurs fondamentales : rouge, jaune et bleu.
Les couleurs dérivées, telles que l'orange, le vert et le
violet, sont issues du mélange de couleurs fondamentales.
Dans un arc-en-ciel, les couleurs fondamentales semblent
se chevaucher pour créer les couleurs dérivées : le bleu
et le jaune donnent le vert, le jaune et le rouge, l'orange.
L'inscription du spectre dans une étoile montre comment
rouge et bleu donnent violet.

Dans un arc-en-ciel, les nuances sont toujours les
mêmes. Parfois, on le voit plus clairement quand l'intensité des couleurs semble plus forte; on peut alors parler
de « netteté » mais pas d'un arc-en-ciel foncé ou clair.
Pourtant, autour de nous, les couleurs sont beaucoup

plus variées et les nuances sont nombreuses. Il y a des couleurs foncées qui semblent contenir du noir, et des couleurs claires, du blanc. Il existe toute une gamme de chaque couleur du spectre. Par exemple, une forêt n'est pas d'un vert uniforme ; on s'aperçoit qu'elle est composée de toutes sortes de verts.

En disposant les couleurs du spectre dans une étoile, on voit que certaines d'entre elles se font face. Ce sont les couleurs complémentaires. Ainsi, le bleu est complémentaire de l'orange, le rouge du vert, le jaune du violet. Leur mélange donne des couleurs neutres qui nous sont familières. On obtient du gris avec le bleu et l'orange, du marron avec le rouge et le vert, de l'ocre avec le violet et le jaune.

On peut également composer d'autres couleurs. Cela vaut la peine de s'amuser une heure ou deux avec une boîte de peinture : on découvre ce qui forme les couleurs composées qu'on trouve dans maints produits naturels.

Les couleurs de l'arc-en-ciel isolées et disposées en étoile
dans leur ordre naturel ont une affinité, ainsi que nous le voyons
ci-dessous.

Importance de l'harmonie dans les couleurs

En vous familiarisant avec les fleurs, vous en apprendrez long sur l'harmonie des couleurs, mais, en attendant, la roue chromatique vous guidera. Les couleurs voisines créent des harmonies analogues. Comme nous avons affaire à des fleurs et non à des produits manufacturés, il se trouve que ce sont ces harmonies qui sont les plus faciles à réaliser.

Nous pouvons créer des harmonies à deux couleurs mais elles ne sont généralement ni aussi satisfaisantes ni aussi jolies que celles à trois couleurs. Encore une fois, comme il s'agit de fleurs naturelles, il est vraisemblable que l'intensité des trois couleurs choisies soit variable.

Certaines couleurs sont dominantes. Dans un ensemble, les fleurs rouges tendent à dominer le reste; mais on peut toujours atténuer une couleur en utilisant une autre couleur en plus grande quantité. Vous verrez que les couleurs composés sont souvent utiles dans ce cas. Ces couleurs neutres doivent contenir la couleur à adoucir : par exemple, pour contrebalancer le rouge, utilisez du marron, qui contient du rouge et du vert.

Au goût de certains, les harmonies complémentaires, quoique naturelles, sont un peu violentes. Dans un bouquet important, des fleurs oranges et bleues peuvent écraser une pièce mais le même assortiment en demi-teintes peut être plus agréable. Tout dépend de la pièce ou du meuble sur lequel les fleurs doivent être placées. Heureusement, dans une décoration florale, le vert est presque toujours présent sous forme de feuilles ou de tiges, ce qui permet d'établir un lien entre les différentes fleurs dont se compose l'ensemble du bouquet.

Une couleur varie en intensité selon qu'on y ajoute du blanc ou du noir. On obtient une gamme en dégradé de teintes et de demi-teintes.

(A gauche) Bien des végétaux séchés et conservés ont des teintes neutres. On peut susciter une harmonie agréable en leur adjoignant la couleur franche qui a engendré la leur.

Dahlias orangés et gentiane donnent une harmonie complémentaire naturelle. La couleur des dahlias est assortie à celle de la coupe.

Thèmes harmoniques

Il est rarement possible de réaliser des harmonies de couleurs avec des fleurs de la même façon qu'avec des toiles peintes ou du tissu. Pétales, tiges, feuillage, etc., renferment de nombreuses couleurs qu'on ne voit pas toutes au premier coup d'œil. Il est vraisemblable que dans une harmonie à deux couleurs, d'autres coloris vont se glisser. Les tiges, les étamines, les feuilles même peuvent être vert vif; on peut défeuiller la tige mais ce n'est pas toujours souhaitable, ni pour la fleur ni pour son aspect. Il faut donc trouver un compromis.

On peut très souvent utiliser un feuillage d'une autre couleur, soit pour rehausser celle de la fleur, soit pour dissimuler ses feuilles vertes. Si vous avez un jardin, il est donc sage d'y faire pousser une bonne quantité de plantes à feuillage aussi bien que des fleurs. Vous vous apercevrez que le dessous des feuilles est parfois plus coloré que le dessus.

Souvent, les variations de couleur d'une espèce florale nous proposent des harmonies analogues. Ainsi, les capu-

Un verre bleu et des pois
de senteur pourpres établissent
cette harmonie analogue.
Ancolies, géraniums, delphiniums
et anémones y participent
également.

cines, par exemple, ont toutes des coloris et des nuances
qui se combinent harmonieusement. Mais ce n'est pas
une règle infaillible car l'homme est intervenu : là où
la nature n'avait doté une espèce que de deux couleurs
primitives, l'obtenteur nous en a offert une troisième qui
nous écarte souvent de la zone analogue. Un exemple
est le pois de senteur dont la gamme naturelle allait du
rouge au violet; l'obtenteur s'efforce d'y introduire le
jaune. Toutefois, la règle en question est généralement
valable et s'avère utile; prenons des fleurs telles que le
bleuet; en les disposant, on est assuré d'être sur la voie
d'une création harmonieuse. Pour compléter le bouquet,
il faut trouver d'autres fleurs ou feuillages qui contiennent
également les couleurs des bleuets choisis comme base
de l'ensemble, mais peut-être dans des tonalités plus
douces.

Souvent, c'est le vase dans lequel les fleurs sont placées
qui fournit la couleur manquante. Dans le cas d'harmonies analogues, il est important de considérer le vase
comme un élément de l'agencement des couleurs.

Des branches de mûres à des stades de maturité différents m'ont suggéré les couleurs de ce bouquet, le vase évoquant des mûres à la crème!

L'apprentissage des couleurs

Comme je l'ai dit plus haut, aucune fleur n'est d'une couleur unique; l'examen d'une fleur vous en apprend plus sur la couleur florale que toute autre méthode. Très souvent, on trouve au cœur même d'une tulipe l'idée d'une belle harmonie. Si les pétales sont roses, leur base est bleu foncé, les anthères crème, les tiges et les feuilles vert jade. La combinaison des coloris est toute tracée! Veillez à répartir les couleurs approximativement dans les mêmes proportions que dans la fleur.

Autre conseil : vous ne tenez peut-être pas à utiliser une fleur déterminée mais elle est assortie à l'une des couleurs de votre mobilier. Si l'envers des pétales, le centre, les feuilles, les boutons ou les épines contiennent d'autres couleurs, vous pouvez les accorder non seulement avec d'autres fleurs mais aussi avec les vases.

Depuis que l'art du bouquet a acquis une telle popularité, bien des gens m'ont dit à quel point l'« arrangement des fleurs » leur avait donné un regard neuf.

Il est fascinant de constater que les couleurs florales ne sont pas toujours ce qu'elles paraissent. Prenons le rose : nous croyons tous savoir que c'est un rouge éclairci mais quand nous comparons les couleurs florales, nous nous apercevons que le rose que nous connaissons le mieux, celui des fleurs de cerisier, des pivoines, etc., est en fait un violet éclairci!

J'ai déjà recommandé de s'exercer à découvrir la composition des couleurs neutres; il est également profitable de consacrer un peu de temps à diluer de l'aquarelle pour en apprendre davantage sur leurs nuances éclaircies. Ensuite, passez un moment à ajouter du noir aux couleurs afin de vous mettre en mémoire la gamme des coloris.

Les merveilleuses harmonies des feuillages d'automne nous offrent un enseignement extraordinaire. Si vous désirez réaliser une composition automnale spéciale, une feuille multicolore sera votre meilleur guide!

La peluche marron des cœurs de ces chrysanthèmes annuels semblait réclamer ce vase! C'est aussi une combinaison de rouge et de vert.

Compositions monochromes

Si vous possédez un verre vraiment foncé que vous aimeriez utiliser comme vase, élevez-le à la lumière pour en déterminer la couleur exacte ; disposez ensuite dedans des fleurs de couleur assortie. En choisissant des fleurs de la couleur franche et d'autres d'un ton plus clair, vous obtiendrez, en fait, une composition dans la gamme d'une seule couleur. Toutefois, l'emploi d'une seule couleur ne sera pas aussi évident que si vous aviez placé des fleurs blanches dans un verre blanc.

Les compositions monochromes peuvent être à la fois belles et stimulantes. Plus que d'autres peut-être, elles créent l'ambiance d'un intérieur. Chez moi, les murs sont blancs et, à mon avis, la beauté d'un bouquet blanc sur fond blanc est saisissante. C'est particulièrement reposant. Cependant, la même composition sur fond contrasté aurait, si on le souhaite, un effet stimulant.

Certaines personnes (trop zélées, à mon sens) sont tellement obsédées par la monochromie que, non seulement elles défeuillent les tiges pour en supprimer le vert, mais ôtent également les autres parties de la fleur qui sont d'une autre couleur. Franchement, je ne prends pas cette question assez au sérieux pour agir ainsi. Même quand j'envisage des combinaisons monochromes,

Les bouquets entièrement verts sont à la fois jolis et durables.
Il n'y a pas que les feuilles qui soient vertes. Il y a aussi des fleurs, des fruits, des épis, des calices et, ici, les bougies.

j'accepte le fait qu'un peu de vert s'y introduise et que le cœur de certaines fleurs diffère de la couleur principale. En réalité, je le préfère même ainsi.

Le vert me semble inévitable et plaît d'ailleurs à beaucoup. Cela me fascine toujours de voir que si nous aimons tous les fleurs pour leurs couleurs et le contraste qu'elles forment avec ce vert banal, les fleurs vertes attirent terriblement les décorateurs floraux et les jardiniers. Beaucoup sont fort belles.

Je ne crois pas me tromper en pensant que les compositions monochromes en vert sont les plus nombreuses de toutes.

Les arrangements monochromes, où fleurs et vase sont assortis, peuvent être aussi beaux que pratiques. C'est un excellent moyen de présenter les fleurs d'une botte achetée chez le fleuriste.

Fruits et feuilles jouent leur propre rôle dans les bouquets monochromes. Dans un récipient allongé, les feuilles de croton font ressortir la couleur des chrysanthèmes et des citrons.

J'ai conçu ce bouquet pour ma chambre, dont les murs sont blancs.
Les couleurs des fleurs de pommier, des scilles, des anémones
et du chou panaché sont assorties aux dessins du tapis.

Les fleurs et l'ameublement

Si vous cultivez vos fleurs, prévoyez celles qui conviendront à votre maison. Si vous devez les acheter, choisissez celles qui s'harmoniseront avec votre intérieur plutôt que celles qui vous attirent l'œil.

Les compositions florales ne doivent pas tout dominer chez vous. Elles doivent s'intégrer à l'ensemble comme n'importe quel autre ornement. Il est important de bien choisir le vase. Si vous avez un mobilier ancien, faites choix d'un vase qui ne dépare pas le meuble sur lequel il est placé.

Mais tous les intérieurs ne peuvent pas être aussi nettement classés. Comme je l'ai dit, le lien le plus simple entre la décoration florale et le mobilier, c'est la couleur. Par exemple, on peut placer un bouquet sous un tableau ou à côté et rappeler les couleurs de la toile par celles des fleurs.

Si vos tentures sont en tissu imprimé, vous avez intérêt

à choisir l'une des couleurs représentées comme motif principal des compositions florales et à y ajouter peut-être une légère touche des autres coloris. Mais si vous mettez un bouquet multicolore près d'un tissu imprimé, je crains que ni l'un ni l'autre n'y gagnent.

En considérant une composition florale comme un meuble, vous obtiendrez sans doute une réussite. Si vous n'avez pas beaucoup de surfaces planes pour y poser des fleurs, envisagez alors l'emploi d'un support dans un angle de la pièce. Il existe de très jolies torchères qu'on peut utiliser à cet effet.

Une tablette ou une console vous donnent le moyen d'exposer vos fleurs sans perdre de place.

Servez-vous des fleurs pour créer des illusions! Mettez un bouquet éclatant au bout d'une pièce trop longue. Au contraire, placez-le contre le mur face à la porte, d'une pièce trop étroite. Choisissez des tons pastels et des vases en métal pour réveiller des intérieurs sombres.

Les récipients de métal garnis de fleurs blanches ou jaunes captent et réfléchissent le plus faible rayon lumineux; ils conviennent aux pièces sombres.

FORMES ET TEXTURES

Le style d'une décoration est en grande partie tributaire des fleurs dont on dispose. Les gens qui dépendent du fleuriste pour s'approvisionner s'habituent presque inévitablement à disposer simplement une masse de fleurs de même espèce, car la plupart de celles qu'on trouve dans le commerce à prix raisonnable sont vendues en bottes. Ces fleurs sont en général d'une parfaite régularité. Elles ont également des tiges très raides et leur feuillage est si fourni qu'il en devient parfois embarrassant. Elles ont été si soigneusement cultivées qu'elles durent longtemps mais leur vigueur même, et certainement leur uniformité, peuvent être une gêne pour les disposer.

Un contraste de formes et de textures rend un bouquet plus agréable et parfois beaucoup plus original qu'un bouquet uniforme. En étudiant cet aspect de l'art floral, les horticulteurs et leurs clients peuvent accroître l'intérêt qu'on porte aux fleurs et à leur assemblage.

On peut souvent mettre de côté certaines parties d'un bouquet pour les utiliser comme éléments de contraste dans le suivant. Je pense entre autres aux feuilles de glaïeul, qui tiennent bien et font bon effet avec d'autres fleurs, et même aux tiges de narcisse, coupées en biseau après avoir ôté les fleurs fanées.

Pour le citadin, un contraste de texture est souvent plus facile à réaliser qu'un contraste de forme. Par exemple, dans une flûte, un bouquet de violettes d'où s'élancent quelques jonquilles à longues tiges. Ou encore des fleurs de chrysanthème sur un fond de feuillage touffu. La rose, fleur classique, accompagne n'importe quel ensemble.

Les narcisses forment un excellent contraste avec quelques-unes de leurs propres feuilles mais ils se marient aussi très bien avec des rameaux fleuris et de jeunes branches de saule ou de châtaignier. Les feuilles brillantes du mahonia donnent de la vigueur aux fragiles anémones. Le lierre semble particulièrement convenir aux fleurs à cœur vert alors que les œillets donnent de l'éclat à tous les feuillages, qu'il s'agisse du simple laurier ou d'un feuillage exotique.

Un mélange de fleurs exige
un contraste dans les formes
aussi bien que dans les textures.
Ceux qui cultivent eux-mêmes
leurs fleurs sont ici avantagés.

Les fleurs régulières
peuvent être personnalisées
par la ligne originale du bouquet
et le choix des éléments
qui les accompagnent.
Les feuilles d'hosta tiennent
très longtemps et peuvent servir
à maintes reprises; même fanées,
elles restent jolies.

Porcelaine et *Cobaea scandens*. Les vases ne doivent pas être choisis uniquement en fonction du cadre; il faut également les assortir aux fleurs qui les garnissent.

Problèmes de texture

L'art du bouquet exige une grande diversité de vases. J'ai mes préférés que j'utilise en toute saison : même ceux-là ne conviennent pas toujours. Les grandes fleurs solides semblent mal à l'aise dans la porcelaine fragile et les fleurs délicates s'accommodent mal des lourdes poteries.

Toutes les fleurs nobles demandent non seulement des vases appropriés mais aussi une compagnie choisie

avec soin. On n'irait pas mettre de l'asparagus avec des arums mais si je n'avais pas de feuilles d'arum à ma disposition, j'opterais pour un feuillage aussi robuste. Dans l'alternative, je me baserais sur la forme du vase et le style de la composition.

Dans une combinaison de fleurs différentes, on s'aperçoit que les « épis » mettent en valeur les fleurs rondes telles que le chrysanthème, le narcisse, l'œillet. Pour un ensemble de fleurs rondes à queues courtes et de longues fleurs en forme d'épi, les vases ne seront pas les mêmes que si les fleurs étaient disposées séparément. Ces « épis » peuvent être d'autres fleurs comme le glaïeul ou le delphinium mais aussi des graminées, des joncs, des roseaux, des feuilles, des branches fleuries, des rameaux de baies, des épis de blé, etc.

Nous employons le terme de « composition florale » mais tous les végétaux attrayants sont valables.

C'est un vrai plaisir de découvrir qu'un chou rouge a la « noblesse » de la rose, que les feuilles jaune acide de la rhubarbe ont une texture coralline et sont trop jolies pour être jetées, que la peau rude des litchis fait ressortir les pétales satinés des tulipes blanches.

(A gauche) Les longues tiges nues des agapanthes et la délicatesse de leurs fleurs supportent d'être violemment contrastées. D'épaisses feuilles de chou les retiennent dans cette coupe moderne.

(A droite) Les épis élancés des glaïeuls contrastent gracieusement avec les roses, à tiges plus courtes, dont la nuance est assortie. Le contraste est renforcé par la forme et la texture des feuilles d'hosta et de lierre.

Les décorations de fruits et de fleurs se confectionnent rapidement. Pour ce décor de table, amaryllis, raisins, litchis, feuilles de chêne et pommes sont assortis à la vaisselle.

La fleur et le fruit

Les fleurs donnent les fruits. Telle est même toute la raison de leur existence; il est donc normal qu'ils s'harmonisent si bien! On peut parfois utiliser fleurs et fruits de même famille : la rose et le cynorhodon (ou gratte-cul), le prunus et la prune; mais le plus souvent, les fruits sont aussi variés et mélangés que les fleurs. J'emploie ici le mot « fruit » dans le sens : produit de la fleur; mais pour simplifier, parlons à présent des fruits comestibles.

Ils sont tous fort attrayants et peuvent participer à la décoration de la maison. En fait, dans les moments où vous êtes débordée, le fruit vous rendra grand service : il ne vous faut que quelques feuilles, une fleur ou deux et, en peu de temps, vous aurez une composition.

Et puis, il y a les autres « fruits », dont beaucoup se gardent indéfiniment : pommes de pin et grands épis de toutes sortes tels que le lotier, le pavot, le magnolia. Certains fruits durent longtemps mais pas indéfiniment; entre autres les courges, les aubergines et les baies.

A mesure que votre connaissance des plantes augmentera, vous en viendrez à apprécier autant les beaux feuillages que les belles fleurs. Je ne sais lequel des deux je préfère. Souvent, un débutant considère les feuilles comme un simple élément d'accompagnement des fleurs; puis vient le moment où le feuillage est de plus en plus employé pour lui-même.

Il y a autant de variété dans les feuilles que dans les fleurs. Certaines peuvent être utilisées fraîches, mais d'autres sèchent naturellement ou peuvent être naturalisées. Il y a des feuillages frais qui requièrent quelques soins. Si les feuilles sont grandes, il suffit d'en essuyer la surface, puis de les faire briller avec un chiffon propre. Une goutte d'huile d'olive les fera reluire.

On peut souvent se servir de la plante entière : par exemple, un petit chou ou une rosette de saxifrage. On peut aussi prendre le cœur d'une plante telle que le superbe chou ornemental.

Les courges ornementales
et les cucurbitacées
de toutes sortes
sont très décoratives.
Cueillies bien mûres et maniées
avec précaution, elles tiennent
longtemps.

L'apparence délicate des perce-neige est trompeuse : une fleur qui éclôt en cette saison ne peut qu'être remarquablement robuste. Le vase qui les contient me paraît refléter leur tempérament et sa forme rappelle celle de leur bulbe.

LE CHOIX DU VASE

Je l'ai dit précédemment : il est important que le vase convienne à la fois aux fleurs, à la circonstance et au style de la composition. Pour moi, c'est primordial. Un vase moderne d'une forme mal étudiée a l'air tristement déplacé sur un beau meuble.

Nos fleurs ont besoin d'eau pour se nourrir; il faut donc que les récipients retiennent l'eau ou qu'il nous soit possible de les rendre étanches. On peut garnir de

papier aluminium ou d'un sac plastique un vase soup-
çonné de fuir ou qu'on désire protéger des taches. C'est
ce que j'utilise pour les vases en métal et certains récipients que je décrirai plus tard.

Les débutants ont tendance à choisir des vases beaucoup trop grands sous prétexte qu'il faut aux fleurs de
l'eau en abondance. Mais si elles ont été convenablement
traitées au préalable, ce n'est pas nécessaire. Il est bien
plus important, plus facile et même plus économique de
choisir un vase qui paraisse à sa place, même vide. Si le
bouquet doit se trouver plus haut que l'œil, assurez-vous
que le vase ne soit pas trop haut, ce qui le rendrait difficile à masquer. Si on le voit plus que les fleurs, il ne
convient pas.

Un problème similaire se pose pour la décoration florale d'une table de repas. Mettez le récipient en place,
asseyez-vous et assurez-vous encore qu'il n'est pas trop
important; pensez aussi à ce que les fleurs ne soient pas
trop hautes une fois arrangées.

Le style du bouquet influencera également le choix
du vase. Pour une composition longue et basse, d'étroits
raviers sont préférables à de larges jattes, surtout si
vous avez l'intention de grouper les fleurs. Un vase haut
fera paraître les tiges plus longues si celles-ci ne touchent
pas le fond du vase.

(A gauche) Des roses moussues
arrangées dans une boîte à thé
en cuivre. De nombreux
récipients sont parfaits
pour les compositions florales.

Les fleurs bulbeuses
demandent peu d'eau. Ce plat
en forme de pelle est donc idéal
pour les glaïeuls qu'on dispose
très rapidement de cette façon.

Ce joli vase moderne aux reflets chatoyants convient à nombre de fleurs, mais son dessin m'a inspiré la composition de ce bouquet d'ellébores.

L'accord entre les fleurs et le vase

Nous avons tous nos vases préférés et ceci pour bien des raisons, la plus courante étant que les fleurs s'y placent plus vite et plus facilement que dans les autres. Cela dépend également de la façon dont on peut y installer un pique-fleurs. Il arrive d'être agacé par un vase dont la forme empêche les fleurs de s'incliner harmonieusement. Par contre, un grand vase de forme évasée convient souvent fort bien. De nombreux vases spécialement conçus qu'on trouve dans le commerce semblent inutilisables; en dépit de mon expérience, j'éprouve moi-même de grandes difficultés à rendre attrayant un vase à deux anses en forme de « bateau » ou un sablier géant en cristal taillé. C'est parce que la forme des poteries est si rarement appropriée qu'on choisit d'autres vases.

Un récipient de métal garni de fleurs a généralement du cachet. Avec le verre, il faut prendre garde à la disposition des tiges visibles à travers l'eau. Les vases fantaisie peuvent être difficiles à utiliser car les dessins doivent s'harmoniser avec les fleurs.

En général, les couleurs simples sont les meilleures. Le blanc et le noir sont toujours sûrs; ils représentent le clair et le foncé et vos fleurs seront toujours nuancées de l'un ou de l'autre. Toute la gamme des couleurs neutres est également satisfaisante. On peut aussi classer le métal par coloris : jaune et orange pour le cuivre, blanc pour l'argent, gris pour l'étain.

Les matières sont importantes mais plus influencées par les goûts personnels. Leur choix résulte de l'expérience et, au bout de quelque temps, vous prendrez machinalement le vase approprié au genre de fleurs.

Il faut qu'un vase soit parfaitement étanche pour ne pas abîmer vos meubles. La nécessité d'un dessous de protection pour certaines poteries peut être gênante. Une solution, c'est de vernir le fond du vase.

Assurez-vous de la parfaite stabilité des récipients choisis; des fleurs à très longues tiges peuvent les déséquilibrer. S'ils sont opaques, on remédie à cet inconvénient en les lestant avec du sable.

Le petit tiroir placé sous ce miroir était, à l'origine, un coffret à gants. A présent, il contient deux boîtes en fer qui font office de vases à fleurs.

Les vases traditionnels

Si les vases traditionnels n'ont plus la même faveur qu'autrefois, c'est surtout parce que leur emploi est malaisé. L'ancienne méthode consistait simplement à mettre les fleurs dans les vases en s'arrangeant pour que les queues touchent le fond. Pour utiliser ces vases selon les critères actuels, il nous faut recourir à des moyens modernes. Par exemple, les vases d'église évasés dans le haut se rétrécissent au centre. On doit donc se servir surtout de la partie large pour disposer les fleurs.

Dans n'importe quel vase de ce genre, on peut réaliser de grandes et belles compositions en hauteur en plaçant la tige centrale verticalement. Si en plus, il s'agit d'une branche à rameaux horizontaux, comme par exemple le hêtre, une grande partie de la structure est effectuée. Elle peut alors servir de toile de fond à d'autres éléments floraux qu'on dispose devant elle.

La manière de couper ou d'élaguer les branches peut également faciliter la mise en place dans un vase long et étroit. Si les tiges latérales sont coupées de façon à conserver une partie de la tige principale, celle-ci entrera dans le vase et le reste s'étalera alentour.

Il y a des siècles qu'on utilise des cruches comme vases, mais plutôt pour une botte de fleurs que pour un

Œillets et nigelles sur le gris argenté du feuillage de séneçon. Comme décor de table, le « surtout » demeure l'un des plus appréciés.

(Ci-dessous) Les vases d'église sont connus pour être malaisés à garnir. Le meilleur moyen, c'est de piquer à l'arrière une branche verticale, plate mais bien ramifiée, devant laquelle on peut disposer facilement les fleurs.

(Ci-dessus) Le cruchon est généralement réservé aux bouquets sans prétention. Pourtant, ils peuvent aussi convenir à des compositions d'un style plus moderne, comme celle-ci.

bouquet élaboré. A mon avis, les cruchons de toute sorte sont séduisants mais si on les emploie pour une composition, certaines règles sont à observer. L'anse est un élément important de la cruche; il faut donc la faire participer à l'ensemble et ne pas la cacher; un conseil : faire en sorte que les fleurs semblent sortir de l'anse. C'est-à-dire que la courbe des tiges suive approximativement la sienne. Cette règle s'applique également aux chopes dont beaucoup font des vases ravissants.

Les récipients du style seau à glace en argent sont extrêmement populaires. Je m'en suis servie pour l'humble mais gracieuse fleur de persil aussi bien que pour des roses rouges à longues tiges; aucune fleur n'y paraît mal à l'aise. Si vous avez la chance de posséder un seau à glace en argent, n'hésitez pas à y mettre des fleurs!

Les vases modernes

L'intérêt actuel porté à la décoration florale a soumis à l'examen tous les aspects de l'art. Il y a des siècles que les Japonais pratiquent l'art du bouquet; depuis si long-temps en fait, qu'il ne s'agit plus là d'un simple plaisir domestique. C'est un passe-temps rituel hautement raf-finé. Si le style classique de l'art oriental du bouquet ne convient peut-être pas à notre comportement d'Occi-dentaux, certains aspects nous attirent terriblement et nous ont influencés. C'est sur l'importance donnée aux vases que l'influence des Orientaux s'est fait le plus fortement sentir. Ils en ont souvent de très beaux. Un autre aspect, c'est le résultat heureux qu'on obtient en garnissant ces vases avec très peu de fleurs. Les Occi-dentaux ont vite appris les principes de décoration florale de l'Orient et les ont appliqués à leurs propres fleurs. Dans le même temps, le fameux style oriental **Ikebana**

Le charme de cette composition d'inspiration orientale repose entièrement sur la beauté de quelques branches de cerisier dans un joli bol chinois.

a suscité un grand intérêt et a rendu populaire le récipient plat.

Il y a donc des récipients appropriés à foison mais, encore une fois, ils n'ont pas tous été conçus pour contenir des fleurs. Parmi mes préférés se trouvent les plats à four et les cendriers géants. Et ils ne sont pas tous modernes. Ou encore des assiettes creuses, en étain ou en porcelaine, des bonbonnières débarrassées de leur couvercle. En somme, tout ce qui est assez profond pour contenir de l'eau directement ou dans un récipient supplémentaire.

Pour utiliser efficacement ces vases très particuliers, il faut d'abord penser que le but recherché n'est pas de les remplir de fleurs de la même manière qu'une coupe traditionnelle. Dans une composition de style oriental, le récipient plat est destiné à être admiré. Il fait partie de l'ensemble comme les fleurs. L'effet produit dépend des deux. Offrez-vous un ou deux plats d'une forme bien étudiée, et il vous arrivera fréquemment de vous apercevoir qu'une, deux, trois ou quatre fleurs suffisent à réaliser une décoration.

Pivoines et hêtre rouge :
des récipients plats aux lignes
étudiées vous permettent
de donner à trois fleurs
et quelques feuilles
l'apparence d'un bouquet
bien fourni.

43

Une jatte en Wedgwood noir garnie de marguerites, d'épis de blé, de feuilles de troène et de vesce sauvage : fleurs et arrangement classiques dans un vase moderne de ligne sobre.

Les vases modernes ont des formes captivantes

C'est souvent le vase qui donne le ton! Les vases modernes en verre, céramique et métal ont des formes attachantes aux lignes nettes. Ils réclament des compositions originales. Ils ont tellement influencé certaines personnes qu'il s'est créé ce que j'appellerai un art « pop », figuratif ou abstrait. Pour ma part, je préfère m'en tenir aux lignes nettes et garnir ces vases de fleurs qui reflètent leur style ou le mettent en valeur.

Pour les bouquets très fournis, le vase n'a guère d'importance. Dans la plupart des cas, il n'est pas destiné à être mis en vue, mais lorsqu'un vase est beau, il est bien dommage de le cacher.

Prenons le verre, par exemple. J'adore voir les tiges à travers l'eau qui les grossit; elles prennent un sens et une importance nouveaux. D'un autre côté, les tiges dépouillées ne sont pas jolies et si leur épiderme a été endommagé, l'eau se trouble rapidement. Quand je mets des roses dans un vase de verre, je laisse les épines car elles sont d'un rouge éclatant dans l'eau.

Les vases étroits et hauts, à condition d'être stables, sont utiles aux gens pressés. Un seul glaïeul et une touffe de feuilles à sa base donnent une composition. De même, quelques feuilles jointes à plusieurs fleurs liées à différentes hauteurs.

Les textures contrastées font de l'effet. Par exemple, un feuillage au grain épais dans de la céramique, ou bien des plantes à feuilles cotonneuses, comme l'épiaire. J'aime les narcisses disposés en croissant avec leurs feuilles pour fond, soit dans un plat rond épais, soit dans un vase étroit un peu arrondi.

(En haut) Une branche morte et des « coques », faites avec leurs feuilles, accompagnent et soutiennent ces narcisses dans un vase scandinave. Les fleurs ayant été raccourcies, on a également joint les tiges coupées.

(En bas) Trois agapanthes suffisent pour garnir avec élégance ce grand verre cylindrique. L'attache qui lie les tiges est dissimulée par des feuilles d'arum. Les tiges sans feuilles sont jolies à voir par transparence.

Les décorations florales qui racontent une histoire

L'art floral ressemble beaucoup à la peinture, la broderie et la sculpture. Les fleurs remplacent les couleurs, le fil ou la glaise. Une fois apprises quelques règles essentielles sur l'utilisation de la matière première, la façon de la présenter relève non seulement de notre talent mais aussi de notre personnalité.

Si nous considérons les fleurs comme des couleurs, il s'ensuit que nous devrions pouvoir en faire un tableau. Certains de ces tableaux seront simplement jolis à voir, comme n'importe quelle toile représentant des fleurs, mais d'autres peuvent raconter une histoire, donner un message ou même interpréter une idée. Quoique ce genre de composition attire beaucoup de gens, il convient mieux à des concours. Mais si nous voulons raconter une bonne histoire, il nous faut d'autres accessoires.

Jusqu'ici, nous avons mis l'accent sur les fleurs et mentionné succinctement les feuillages et les fruits; mais on doit savoir que d'autres éléments peuvent être employés. Tout ce qui provient d'une plante est acceptable. On a vu que feuilles, tiges et fruits sont d'un bel effet avec les fleurs; il en va de même pour les racines, l'écorce, les gousses et les branchages.

Pour composer un tableau ou décrire une scène, il est parfois nécessaire d'y introduire un élément étranger aux plantes comme une pierre ou un coquillage, mais on peut souvent utiliser une statue, une figurine, ou même des verres, des boîtes, des bouteilles, des chapeaux... toutes sortes d'objets qui ont un rapport avec le sujet.

Comme je l'ai déjà dit, cette question sera traitée plus longuement par la suite, mais si je l'aborde ici, c'est que les récipients plats sont parfaits pour les compositions picturales ou scéniques. A la fin de l'hiver, vous pouvez réjouir bien des cœurs en utilisant une jolie branche pour représenter un arbre. Plantez-la dans de la mousse parsemée de petites fleurs qui imitera un pré miniature. En été, pour rafraîchir l'atmosphère, garnissez de coquillages le fond d'un plat, remplissez-le d'eau; placez-y des roseaux et, à côté, de la fougère.

(Ci-contre) Paysage printanier : des chatons d'aulne dominent des iris de veuve, des primevères, des marguerites et des champignons qui ont l'air de « sortir » de la mousse.

(Ci-dessous) Un décor de Noël : devant une Vierge à l'Enfant, une branche de pin, du houx, des jacinthes et des jonquilles émergent des pierres disposées dans un plat creux en cuivre.

Une boîte à thé cerclée de cuivre,
des anémones, une baie
de fusain, des fuchsias...;
nombre de boîtes font des
récipients ravissants pour
des bouquets originaux, mais
il faut veiller à ce qu'elles soient
bien étanches.

Les récipients en bois

Il n'est pas étonnant que le bois convienne si bien aux décorations florales : après tout, c'est l'une des nombreuses matières d'origine végétale. Depuis quelques années, les objets en bois sont très à la mode dans l'art floral, un peu partout dans le monde.

En général, le bois est travaillé, mais il arrive de voir une ravissante composition dans une coquille de noix brute. Par ailleurs, la plupart des objets en bois sont remarquablement bien faits; on trouve des boîtes à thé, des bols et des saladiers habilement faits au tour et, parfois, un petit vase. Beaucoup sont anciens; il faut donc en prendre le plus grand soin si on les utilise pour y mettre des fleurs.

Pour que l'eau n'abîme pas ces récipients, certaines précautions sont à observer. Beaucoup de boîtes à thé contiennent également de petits bols qui servaient jadis à mélanger les thés et qui peuvent très bien contenir de l'eau; malgré tout, je tapisserais quand même la boîte de papier d'aluminium pour le cas où un peu d'eau déborderait des bols.

48

Un petit vase de bois tourné,
trouvé chez un brocanteur,
garni d'un bouquet de fougères
séchées, de cônes, de faines
et de feuillage de hêtre,
de chatons de saule,
de monnaie du pape
et de grevillea.

Si l'objet en bois ne contient pas de récipient, il faut le tapisser d'une double épaisseur de plastique et utiliser un pique-fleurs en mousse synthétique et non en tulle métallique qui pourrait déchirer la doublure. Naturellement, piquer les tiges avec précaution pour ne pas les abîmer.

Quand il y a un couvercle (boîte à thé ci-contre, à gauche), il vaut mieux le tenir ouvert avant d'arranger les fleurs. En général, je place un bout de tige de chaque côté pour le soutenir. Je l'ouvre alors en grand et, une fois la mise en place des fleurs terminée, je le rabaisse sur ses supports.

J'aime le bois pour les bouquets d'immortelles dont je parle plus loin. Dans ce cas, le risque de détérioration est beaucoup moins grand car les accessoires sont secs.

Certaines fleurs semblent plus jolies que d'autres dans du bois poli; les roses classiques, les giroflées veloutées, les pensées et les anémones me plaisent infiniment. Des marguerites dans une boîte à sels de bain ronde sont d'un effet absolument ravissant!

Récipients « naturels » : les paniers

La plupart des paniers sont confectionnés dans des matières qui ont, comme le bois, une affinité avec les fleurs. Evidemment, j'accepte les paniers modernes qui, tressés dans des matières artificielles, imitent les modèles traditionnels et évoquent l'atmosphère rurale. On utilise les paniers pour y mettre des fleurs depuis que l'homme a commencé à cueillir celles-ci pour les donner en offrande aux dieux ; encore à présent ils sont employés, surtout dans les cérémonies.

La principale raison, c'est que, pour des occasions spéciales, les fleurs doivent généralement être transportées. Et le panier permet le transport des fleurs sans en déranger l'agencement.

Dans ce cas, il est très important de laisser l'anse assez dégagée pour être tenue aisément et ne pas risquer que les fleurs les plus proches de celle-ci soient étêtées. Une fois les fleurs disposées, il faut considérer l'anse comme faisant partie de l'ensemble. Je la traite généralement comme une tige centrale. Je reviendrai ultérieurement sur ce sujet.

De même que pour le bois et les autres matières qui ne sont pas étanches, les paniers ont besoin d'être protégés. Certains sont vendus garnis d'un récipient de fer amovible. Sinon, il faut improviser. Pour la maison, un panier est vraiment utile au cas où les fleurs doivent être déplacées ; par exemple, un décor de table.

Joyeuses Pâques : du mimosa, des jonquilles et des tulipes disposés dans un panier autour d'un « nid » d'œufs aux couleurs vives. Au fond du panier, une boîte en fer, précaution indispensable quand le récipient n'est pas étanche.

On peut remplir d'eau n'importe quel vase qui tient
dans le panier. Mais s'il
faut transporter le panier,
l'eau se renverse facilement,
ce n'est pas pratique; il
vaut mieux se servir d'un
pique-fleurs en mousse synthétique bien imbibé et
tapisser le panier d'une
feuille de plastique, par
exemple.

Des roses, de l'ibéride et des
cosses de pois séchées dans
un panier plat donnent une jolie
décoration facile à transporter.

Pour la Fête des Mères, des
violettes, des perce-neige et de
la viorne précoce sont disposées
dans un petit panier tapissé
d'aluminium ménager et bourré
de Florapak imbibé d'eau pour
maintenir et nourrir les tiges
fragiles.

Une bonbonnière ancienne remplie de cinéraires. Lorsque les fleurs sont rares, il est possible de se procurer une note de couleur en coupant quelques fleurs sur plusieurs pieds sans nuire à la plante.

Dans un moule à gâteau en cuivre, des mignardises, des pensées, des feuilles de chou ornemental, quelques petites tomates rouges avec leurs fleurs, font un bouquet charmant pour une cuisine. Ce vieux moule est trop joli pour être caché. La chaude lueur du métal bien astiqué s'accorde avec les couleurs des fruits et des fleurs.

Dans une bouteille, des ornithogalum-thirsoïdes avec des feuilles de magnolia et de lierre. Des bouteilles, il y en a de toutes les formes et elles sont souvent si jolies que ce serait dommage de les jeter. L'étroitesse du col ne pose pas de problème si vous disposez d'abord vos fleurs en un bouquet très mince que vous enfoncez ensuite facilement dans la bouteille. Veillez à ce qu'elle reste pleine d'eau.

Des tulipes perroquet, des pensées et des feuilles de chou dans un poêlon de cuivre. Le buffet de la cuisine contient bien des récipients qui conviennent à merveille à vos bouquets.

Un vase rempli de bleuets,
de pieds-d'alouette,
de marguerites et d'œillets
de poète. Les récipients
utilisables ne manquent pas
autour de vous. Vous obtiendrez
avec les plus inattendus
des résultats parfois charmants.

Dans un chandelier, un bouquet
d'anémones rouges avec
des chatons de saule
et une bougie. Vous pouvez
en disposer deux sur votre dessus
de cheminée. Les chandeliers
font de bons vases à pied;
leur hauteur préserve les fleurs.

Les coquillages conviennent
à beaucoup de fleurs.
Le contraste des textures est
agréable et on peut souvent
marier la couleur des fleurs
à celle du récipient. Ici, la conque
reproduit la teinte de certaines
renoncules.

Un bouquet de narcisses dans
un cygne de porcelaine moderne.
Il semble qu'on utilisait beaucoup
les cygnes au siècle dernier.
Vous en trouverez dans
vos greniers. Une flottille
de cygnes sur une table permet
une jolie décoration. Pour
obtenir le meilleur effet,
disposez les fleurs telles
des plumes un peu ébouriffées.

Fabriquez vous-même vos récipients

Le rôle de l'ingéniosité est aussi important dans la recherche des récipients que dans celle de la composition florale. Il nous vient souvent une idée de décoration, mais le récipient principal nous manque. La solution la plus simple consiste à le faire soi-même. Il est étonnamment facile de trouver deux objets à marier pour obtenir l'effet souhaité. Un exemple : prenez deux coquetiers de style classique, tournez-en un à l'envers et placez l'autre dessus ; résultat : un vase à pied. On peut faire un socle en fixant du fer forgé sous un pied en métal. On peut utiliser deux timbales en argent de la même façon que les coquetiers. Une bouteille (deux, si vous dressez un buffet) pourvue d'un bougeoir peut servir de vase. Même une assiette ordinaire, préalablement surélevée, peut être utilisée comme coupe à fleurs et à fruits. Une boîte en fer, bien gainée et remplie de sable, procurera un pied à un vase de même taille.

Tulipes blanches, *Cornus mas,* feuilles de lierre et de betterave dans une petite coupe à fruits. On placera davantage de tulipes dans des verres à vin.

Les garnitures de cheminée de style victorien n'ont, apparemment, que peu de rapports avec la décoration florale; pourtant, on en voit souvent dans les expositions et chez les particuliers. L'ensemble consiste en une pendule flanquée de deux statuettes de même métal. Celles-ci sont fréquemment utilisées comme éléments d'une composition.

Il existe de nombreux moyens de réaliser une décoration florale en hauteur. Par exemple, vous pouvez obtenir une composition de belles dimensions à l'aide d'une série de jattes toutes semblables ou de tailles différentes, et de pots de fleurs vides. Mon décor de table montre un échafaudage de tulipes édifié selon le même principe, mais avec des verres à vin. On peut assurer la stabilité des verres en garnissant la base de pâte à modeler.

En général, le principal but d'une composition est de rehausser les fleurs; vous trouverez autour de vous quantité d'objets pouvant servir à cet effet.

Des chrysanthèmes dans un chandelier. Les fleurs et la bougie sont disposées dans un petit bol à pied qui s'insère dans le godet du bougeoir. On trouve des chandeliers munis de pique-fleurs.

Elément de fer forgé fixé sur une base. A son sommet, un bol. Voilà un vase élégant pour y placer un bouquet hivernal de baies de cotonéaster rouges, de tiges et de feuilles de lierre, plus un joli chou d'ornement blanc.

Un trou creusé dans une petite
bûche de bouleau est idéal pour
une décoration de Noël.
On tapisse le trou d'aluminium
ménager, puis on le bourre
de mousse Oasis. Toutes sortes
de tiges y trouveront place.

Bouquet de roses
et de gypsophiles dans
un vénérable sucrier d'étain.
Pour conserver leur humidité
aux tiges, plus de problème
aujourd'hui. Utilisez la mousse
synthétique telle que Florapak.
Pas de danger de voir
vos meubles salis par
des gouttes d'eau.

Ce simple panier d'osier
contient des ellébores. Pour
l'imperméabiliser, utilisez une
feuille d'aluminium
ou de plastique ainsi qu'un
pique-fleurs de mousse
synthétique.

Ce candélabre moderne
en fer forgé fait un vase
convenable, car on a fixé
de l'Oasis en sa partie centrale.
On doit l'humecter tous les jours;
en effet, comme elle est exposée
à l'air, cette mousse synthétique
perd plus rapidement son eau.

Un couvercle de fer-blanc cloué
sur un support sur lequel on a
également fixé des branches
de bois sec. A utiliser avec
de la mousse Oasis.

Une ménagère à l'ancienne mode,
pourvue de deux compartiments,
ce qui permet de séparer
les fleurs et les fruits.
Le compartiment fleurs est
tapissé d'aluminium et les tiges
sont maintenues par du Florapak.

Sur un verre haut, une assiette
de fleurs et de fruits.
Quelques anémones dans l'eau
maintenues par un pique-fleurs
à pointes minuscules. Caché par
des feuilles de chou,
un bloc d'Oasis.

Pour une table de desserte,
voici une décoration peu
ordinaire : une balance, vraie
ou postiche, comme celle-ci.

Des chrysanthèmes se déploient hors d'une conque; un rameau de bois sec en jaillit. D'autres coquillages et un support de bois roux parachèvent cette composition.

MISE EN VALEUR PAR LES OBJETS

En décrivant le but et le plaisir proposés par la confection d'une décoration picturale ou scénique, j'ai brièvement expliqué le rôle joué par les accessoires et j'en ai cité quelques-uns parmi les plus en vogue. Nous verrons plus tard, en abordant le chapitre de la véritable décoration, qu'ils peuvent avoir souvent une valeur pratique aussi bien que purement décorative.

En attendant, n'allons pas nous imaginer que les accessoires, quels qu'ils soient, doivent n'être utilisés que dans la composition florale proprement dite ou se trouver toujours à l'intérieur du récipient. Placés en dehors, ils ont parfois un rôle plus important et plus décoratif. Pourtant, comme il est évident qu'ils ont un but, ils semblent faire partie intégrante d'une composition.

J'espère que les illustrations vous feront découvrir qu'un assemblage fait souvent beaucoup plus d'effet qu'un vase seul. N'allez pas imaginer que la disposition d'un ensemble soit ardue... mais c'est fort attrayant!

Un débutant apprend vite qu'il ne sert à rien de concevoir une composition si elle n'est pas réalisable. Non seulement les fleurs doivent conserver la position voulue, mais tout le reste doit également demeurer en place.

Il y a beaucoup d'astuces de métier. La réussite dépend en grande partie du camouflage des objets. Des ronds de serviette ou autres ustensiles en forme d'anneau peuvent servir à soulever et soutenir pas mal de choses, soit dans l'eau, soit en dehors. Par cette méthode, on peut maintenir un ananas dans n'importe quelle position. C'est également le cas si l'on veut faire « flotter » une fleur dans l'eau. Pots de fleurs, cartons à crème ou similaires serviront de récipients pour les fruits, etc.

La pâte à modeler maintient beaucoup d'objets en place, mais seulement si les surfaces sont parfaitement sèches. On peut faire des boulettes de glaise et les coller légèrement sur la base de l'objet à fixer. Poser l'objet à l'endroit voulu et appuyer fortement. Les boulettes vont s'aplatir et adhérer.

Quoi de plus économique que ce bouquet? Six jonquilles, un peu de chlorophytum qu'on peut mettre en pot quand il prend racine, et quatre citrons.

Puisez l'inspiration dans votre entourage

Dès qu'on s'intéresse à la composition, on s'aperçoit que les idées viennent vite car les sujets d'inspiration abondent autour de nous. Par exemple, prenez un article de vaisselle qui vous sert quotidiennement. Il peut vous donner des idées de ligne ou de couleur. S'il a une jolie forme, employez-le, mais pas nécessairement comme récipient. Une assiette peut servir de base à une composition de faible hauteur, un joli couvercle, former un centre.

Assortir les fleurs à la porcelaine est un exercice aussi utile que divertissant; il vous sera profitable quand vous chercherez à décorer votre table pour une circonstance spéciale. Je développerai plus longuement ce sujet dans le chapitre sur les décors de table.

Il peut vous plaire d'introduire un de vos objets préférés dans une combinaison florale. Un tableau, par exemple, formera un bel ensemble avec des fleurs, des fruits et des feuilles, plus un accessoire qui les « liera ».

Cinq iris blancs et quelques tiges de chatons de saule, parmi des feuilles séchées d'hosta, dorées pour qu'elles s'accordent avec le filet d'or de la vaisselle, à décor « feuilles de saule ».

Compositions de Noël, sans fleurs.
(Ci-dessus) Au centre de ce
bouquet, un chou d'hiver
aux couleurs vigoureuses.
(A droite) Sur des tiges postiches,
des boules d'arbre de Noël qui,
dans ce pichet, jouent le rôle
de fleurs et donnent à l'ensemble
un petit air réjouissant.

Si la toile est accrochée au-dessus d'un foyer, la tablette de cheminée vous offrira une surface utile pour poser vos fleurs. Il en faut une sous le tableau.

Entre autres choses, je collectionne les coquillages. Il y en a toujours quelques-uns exposés dans l'alcôve d'une de mes pièces. Là, j'ai plaisir à réaliser des compositions qui, pour moi, évoquent la mer. Il est surprenant de constater combien nombreuses sont les fleurs et les plantes qui s'y prêtent : la marguerite rappelle l'étoile de mer, de même que certaines broméliacées ; les feuilles de roseau, les frondes de fougères qui imitent les algues, toutes ont un rôle dans l'agencement du paysage. Dans une autre pièce, j'ai une toile moderne qui me rappelle à la fois une feuille et un arbre, la terre et le ciel ; là, j'ai tendance à composer des ensembles arborescents en utilisant du bois, des gousses brunes, des feuilles naturalisées et de l'oolite.

La décoration florale, Dieu merci, n'est pas un art statique. Une fois les règles élémentaires acquises, vous pouvez partir à la découverte non seulement de la nature et du monde environnant, mais aussi de vous-même !

Une base s'intègre à l'ensemble

Beaucoup de gens placent machinalement un napperon sous un vase de fleurs, comme sous une coupe ou un verre pleins, pour éviter au meuble d'être taché si le vase est humide. Il y a souvent un manque d'harmonie entre ces moyens de protection et les fleurs, par la couleur, le dessin ou la forme.

Un petit napperon au crochet nous paraît loin du beau socle qui supporte une composition orientale, bien qu'il y ait un rapport. Les Japonais posent leurs fleurs sur un socle qui fait souvent partie intégrante de l'ensemble et se nomme **dai**. Mais à l'origine, ce socle servait aussi à protéger la surface polie de la petite table sur laquelle on plaçait les fleurs.

Comme je suis dotée de sens pratique, je cherche à l'appliquer dans l'art floral; il me paraît évident que, même avec les meubles modernes qui ne craignent pas les taches ou les pique-fleurs qui ne risquent pas de se renverser, bien des compositions gagnent à être posées sur un support. De cette façon, elles sont comme « mises en vue » et attirent l'attention. D'un point de vue purement pratique, il est plus facile de déplacer un bouquet placé sur un socle qu'un vase, pour faire le ménage; pour aller encore plus loin, si on en revient au vieux principe de l'économie, une composition présentée de cette manière demande moins de fleurs car la base lui donne de l'importance et ajoute couleur, texture et allure.

Sur le plan de l'ensemble, une base apporte souvent ce petit rien qui semble manquer dans une composition cependant agréable. Par exemple, même quelque chose d'aussi simple qu'un dessous rond, épais, et de couleur sombre, peut donner une apparence de stabilité à un bouquet d'aspect trop fragile. Si vous trouvez que la couleur dispensée par vos quelques fleurs n'est pas tout à fait assez vive, vous pouvez l'augmenter en la rappelant dans le support.

Vous verrez que les supports ne sont pas tous des socles, mais si vous avez la chance d'en posséder un ou plusieurs, nul doute que vous les trouviez parfois utiles. Comme beaucoup d'autres éléments d'une composition

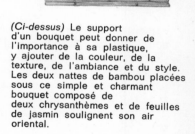

florale, les supports ne sont que ce que vous les faites. J'ai utilisé des assiettes, des cendriers retournés, de l'ardoise, du marbre, des plateaux, des boîtes en fer, jusqu'au socle d'une coupe sportive. Mais, rappelez-vous, aucun support n'est indispensable!

(Ci-dessus) Le support d'un bouquet peut donner de l'importance à sa plastique, y ajouter de la couleur, de la texture, de l'ambiance et du style. Les deux nattes de bambou placées sous ce simple et charmant bouquet composé de deux chrysanthèmes et de feuilles de jasmin soulignent son air oriental.

(A gauche) Dans la plupart des styles orientaux, le support est partie intégrante de la plastique du bouquet. On a placé ces roses sur le traditionnel « dai » japonais.

63

Bouquet de pivoines et de tiges creuses et rugueuses de cactus arborescent, aménagé sur un pique-fleurs à pointes. Une plante grasse et du bois sec dissimulent le pique-fleurs.

LES PIQUE-FLEURS

Si l'on veut arranger les fleurs comme on le désire, rapidement et facilement, il est indispensable de pouvoir confectionner n'importe quel genre de bouquet avec assurance. Sur le plan pratique, l'élément le plus important d'une composition florale, c'est le pique-fleurs. Il en faut parfois plus d'un, car tout dépend de l'importance et du style du bouquet envisagé.

Si le pique-fleurs doit être caché dans un récipient, son aspect importe peu. L'essentiel, c'est qu'il soit efficace. Dans ce cas, le moins onéreux des pique-fleurs est un grillage à larges mailles qui, seul, est assez malléable pour être « chiffonné » en boule et introduit dans un vase. Une autre raison valable, c'est qu'une branche épaisse passera facilement à travers les mailles car elle parviendra à forcer sans peine la résistance du fil de fer. Le grillage fin est beaucoup plus rigide et les grosses tiges ne passeront pas du tout ou seront incapables de le faire céder.

Des œillets à tiges courtes
et des roses sont maintenus
par du grillage. On peut s'en
servir aussi pour les fleurs
à longues tiges.

On ne doit pas apercevoir
les pique-fleurs à travers le verre.
Disposez d'abord les bouquets
et fixez les tiges à la main.
Les feuilles ou acessoires
doivent cacher le pique-fleurs.

Le grillage, qu'on ne trouvait naguère qu'en fil de fer
galvanisé, existe à présent gainé de plastique noir, vert
et blanc. Il a l'avantage de ne pas marquer les porce-
laines précieuses mais, à mon avis, il présente l'inconvénient d'être légèrement glissant. Dans un récipient très
lisse, il risque donc de bouger tant qu'un grand nombre
de tiges n'ont pas été installées. Or, la partie la plus difficile d'un assemblage se présente au début et ce défaut
peut gêner un novice. Plus épais, il tient plus de place
dans les petits vases, mais, pour les grands et ceux qui
ont un rebord pour le tenir, il est parfait.

Il vaut mieux ranger vos récipients en laissant le grillage à l'intérieur après les avoir nettoyés. Pour que le
grillage ne marque pas le vase, enveloppez-le dans un
sac en plastique.

En règle générale, le grillage doit être découpé au
diamètre du vase et épouser la forme de celui-ci.

En guise de rondelles de fixation, on peut utiliser de petites boulettes de plastiline (cire plastique adhérente).

Les astuces de métier

Il n'est pas nécessaire de rechercher les difficultés pour faire un bouquet. Vous découvrirez sûrement des astuces; en attendant, voici quelques-unes des miennes!

Tout d'abord, le meilleur moyen de placer du grillage dans un vase, c'est de le plier en « U », puis de l'introduire dans l'orifice du récipient de façon à laisser dépasser les piquants qu'on rabat ensuite tout autour en les accrochant solidement à la paroi comme des griffes.

Grillage fixé à l'orifice du verre.   Le fil de fer de fleuriste allonge les tiges courtes.

Les piquants servent également à maintenir en place les tiges très lourdes, surtout si elles sont rameuses. Plus une tige est haute et lourde, plus j'utilise de grillage. On dissimule facilement par la suite la partie qui dépasse du vase. L'essentiel, c'est que le grillage encercle la tige en plusieurs points afin de la fixer solidement.

Les piquants sont encore utiles pour « épingler » les tiges. Par exemple, si vous voulez qu'une feuille retombe gracieusement sur le bord du vase alors qu'elle n'a pas naturellement la position souhaitée, vous pouvez passer le fil de fer autour de la tige et le recourber légèrement pour donner à la feuille l'inclinaison cherchée. En appuyant trop fort sur la tige, vous risquez de la casser ; mais si vous ployez le fil de fer qui l'encercle, elle suit la même courbe, tout en étant protégée.

Dans certains cas, le fil de fer peut s'utiliser comme une épingle ; autrement dit, on le pique tout simplement dans la tige, à l'endroit voulu pour la maintenir.

Les tiges sont plus solidement retenues si le récipient est entièrement garni de grillage ; pourtant, cela n'est guère joli lorsqu'il s'agit d'un vase en verre. La technique consiste alors à fixer le grillage en haut du récipient ; la partie qui s'enfonce à l'intérieur ne doit pas être trop épaisse afin de pouvoir être commodément dissimulée par les éléments inférieurs du bouquet. Parfois, on peut laisser en rouleau le grillage gainé de plastique et le fixer tel quel à l'orifice d'un verre.

Arrimage de la tige.

Tiges insérées.

Une branche peut tenir toute seule, sans soutien, si l'on replie le bout d'une des tiges à angle droit avec la tige principale. La longueur de la partie pliée doit correspondre au diamètre du fond du vase.

(A droite) On peut obtenir des pique-fleurs efficaces à partir d'une ramille fourchue ou d'une ramille fendue et calée, comme ce kubari.

Autres catégories de pique-fleurs

Une jolie branche est souvent assez décorative par elle-même; pourtant il n'est pas toujours facile de la disposer avec le bord du vase comme seul soutien. Dans un vase à col étroit, on peut coincer des fragments de grosse tige entre la paroi du vase et la branche, qui se trouve ainsi calée; ou encore, plaquer la branche sur de la glaise à modeler. On peut fabriquer soi-même des modèles de pique-fleurs empruntés aux Japonais, qui utilisent des baguettes fourchues ou croisées. Il faut toujours les couper sur des rameaux verts. Il est possible de confectionner un **kubari** (baguette fourchue) à partir d'un rameau naturellement formé, en coupant les tiges à la longueur voulue. Sinon, cassez la branche en deux et maintenez les dents de la fourche écartées en y intercalant un petit bout de bois. Pour que la fourche ne soit pas trop ouverte, il peut être nécessaire d'utiliser du raphia ou un élastique. Les baguettes croisées sont simplement liées au milieu par du raphia.

Le but de ces supports est soit d'empêcher une branche de bouger, soit de permettre un parfait assemblage des

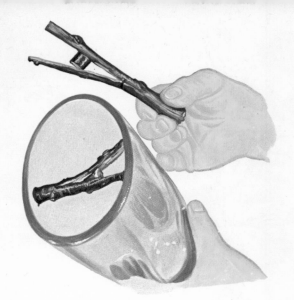

fleurs selon l'angle voulu.

Dans un vase très haut, un **kubari** dressé à mi-hauteur peut maintenir inclinée une branche dont l'extrémité est également fourchue. La branche, une fois installée, est fixée sur le **kubari** de manière à ne plonger que très peu dans l'eau et former une diagonale par rapport au récipient.

Sur un pique-fleurs à pointes (le **kenzan** japonais), les tiges se trouvent « empalées ». On peut y faire tenir des tiges ligneuses taillées en biseau dans presque toutes les positions.

(Ci-dessous) On peut coller un petit pique-fleurs à pointes contre la paroi d'un vase à l'aide de boulettes de glaise. On poussera les tiges verticales contre les pointes, qu'elles cacheront.

(A gauche et ci-dessous) Grâce à un bloc d'Oasis, ces œillets mignardise et ces feuilles de vesce sauvage tiennent dans un récipient peu profond.

(Ci-dessus) On superpose des rouleaux d'Oasis pour obtenir un bouquet en hauteur.

Pique-fleurs en mousse synthétique

Quand on cherche des récipients nouveaux ou originaux, on en trouve beaucoup d'une forme attrayante, d'une texture intéressante ou peut-être dotés d'un charme désuet; pourtant, ils semblent inutilisables, surtout en raison de leur faible capacité : il faut assez d'eau aux tiges pour qu'elles gardent leur turgescence. Il fut un temps où on les aurait éliminés. A présent, grâce à l'apparition de la mousse synthétique absorbante, la gamme des vases à fleurs de toutes sortes s'est beaucoup développée.

Je commence par me représenter la disposition des éléments d'un bouquet pour choisir le pique-fleurs adéquat.

Le principal avantage des mousses synthétiques est dû à leur texture : légère, spongieuse et souple. La tige d'une fleur y pénètre facilement et, si elle est courte, il suffit de l'enfoncer de 2 à 3 cm pour qu'elle tienne solidement, même si on retourne le bloc de mousse.

C'est parce qu'elles absorbent et retiennent l'eau que les mousses synthétiques peuvent être utilisées pour des

(A droite) Un bloc d'Oasis soutient cet « arbre » d'œillets.

fleurs placées sur des meubles cirés qui risqueraient d'être tachés par de l'eau renversée.

Il en existe de deux sortes : l'un, le Florapak, se met à l'intérieur des récipients; il peut servir de nombreuses fois, mais, à la longue, il finit par se désagréger. Le deuxième, l'Oasis, est nettement plus résistant. Il conserve sa forme et peut ainsi être utilisé à l'extérieur du récipient.

N'étant pas exposé à l'air, le Florapak reste longtemps imbibé. Il est donc idéal pour les bouquets placés dans des endroits peu accessibles. Mais il faut beaucoup d'humidité à un bouquet qui tient longtemps et il est utile d'examiner la mousse de temps à autre et de remettre de l'eau si besoin est.

Par contre, l'Oasis, qu'on place hors du vase, sèche rapidement et demande à être imbibé tous les jours. A moins qu'il ne se trouve dans un récipient qui peut contenir de l'eau, comme l'urne de la page ci-contre. Dans ce cas, le bloc absorbe l'humidité nécessaire à la plante par capillarité.

Des moyens attrayants de cacher les pique-fleurs

Il n'est pas mauvais qu'un pique-fleurs posé dans un plat ou autre récipient ait besoin d'être dissimulé, car les moyens employés pour le camoufler peuvent donner plus d'intérêt à l'ensemble de la composition. Pour cacher le pique-fleurs, on arrime souvent les fleurs de telle façon qu'elles semblent ne faire qu'un avec le vase. N'importe comment, ce que vous utilisez doit toujours avoir un rapport avec les fleurs. Parfois, il ne vous faut qu'une seule grosse fleur du bouquet; coupez la queue assez court pour que soit complètement dissimulé le pique-fleurs.

D'autres accessoires sont souvent nécessaires et cela vaut la peine de se faire une collection de pierres, de coquillages, de souches de bois sec, petites mais larges, de liège, d'écorce et de tous les matériaux naturels qui vous plaisent; ainsi, vous aurez toujours sous la main un élément assorti aux fleurs employées. Etant donné la diversité des matériaux, vous êtes assuré d'en trouver certains qui conviennent à tous les vases.

Cinq iris hollandais solidement fixés sur un pique-fleurs à pointes dissimulé par des coquilles de palourdes dont la couleur s'harmonise avec ces fougères aux teintes passées.

Toutes sortes de fruits peuvent servir à cacher les pique-fleurs. La plupart doivent être tenus hors de l'eau pour ne pas se gâter. On peut donc utiliser des blocs d'Oasis dont on aura recouvert la base d'aluminium ménager pour les empêcher de s'humecter. On peut encore empiler plusieurs blocs l'un sur l'autre pour obtenir un échafaudage. On a la possibilité d'enfoncer légèrement dans la mousse (pour le maintenir en place) le fruit à installer ou de le monter sur une tige artificielle.

Il est souvent facile de poser un morceau d'écorce, de bois, de liège ou même de grillage en travers du récipient, au pied des fleurs, et d'y disposer les fruits. L'avantage du grillage, c'est qu'il se prête à être façonné et ajusté entre les tiges et le bord du récipient. On peut aussi le bomber facilement pour lui faire épouser la forme d'un vase si cela est nécessaire. Enfin, on peut aussi le mouler en forme de coupe ou de jatte et y disposer des fruits de toute grosseur.

Des courges dissimulent le pique-fleurs à pointes qui soutient ces amaryllis. Leurs couleurs s'accordent avec celles des fleurs, des feuilles mortes et du récipient.

Trois dahlias classiques, des feuilles de caduacea aux teintes très riches et qui sont comme autant de fleurs, s'accordent à la couleur de la jatte et dissimulent le pique-fleurs.

L'utilité des feuilles

Souvent, le moyen rapide, commode, et, en même temps, l'un des plus jolis, de cacher un pique-fleurs disgracieux consiste à utiliser des feuilles qui représentent également un des éléments importants de la composition.

Il existe quantité de jolis feuillages, mais si vous n'avez pas de jardin, servez-vous de celui des fleurs que vous achetez. Avant de nettoyer les tiges, regardez bien s'il n'y aurait pas quelques feuilles susceptibles de faire l'affaire, sinon pour un bouquet, du moins pour un autre. Mettez-les soigneusement à plat l'une sur l'autre et conservez-les dans l'eau jusqu'à ce que vous en ayez l'usage. Beaucoup de feuilles, telles celles du glaïeul, du narcisse et de la jonquille, semblent ne pouvoir être utilisées qu'avec des bouquets imposants dans lesquels leur forme offre un contraste. Mais une fois roulées et nouées en « coques », elles conviennent également à de plus petits bouquets.

Certaines feuilles, pourtant si belles, ne sont pas généralement considérées comme éléments de composition florale; pourtant, elles cachent bien joliment un pique-fleurs. Par exemple, les feuilles extérieures du chou, souvent nuancées de demi-teintes ravissantes, la feuille de rhubarbe, de fraisier, et bien d'autres.

Les citadins devraient jeter un coup d'œil dans les jardins publics à l'automne : bien des feuilles tombées peuvent être séchées, huilées, et, conservées dans des sacs en plastique, elles serviront maintes fois.

Lorsque c'est possible, cueillir les feuilles avec leurs pétioles afin de les disposer facilement. Sur un pique-fleurs à pointes, il n'y a qu'à les piquer ou les poser à plat sur les pointes; mais si elles doivent retomber sur le bord d'un vase, il faut les aider. Il est souvent très facile de tiger le pétiole sur une longueur suffisante pour le maintenir; on pique ensuite la partie du fil de fer qui dépasse dans le grillage ou autre pique-fleurs. Ou encore, on peut entortiller un cure-pipe autour de la base du pétiole pour l'allonger, ce qui le rend plus commode à installer.

Des fritillaires, ou couronnes impériales, dans un vase rempli de grillage à larges mailles. Des feuilles d'aralia artificiellement prolongées par des fils de fer insérés dans les tiges.

LES STYLES
DE LA COMPOSITION

Les goûts personnels jouent un aussi grand rôle dans l'art floral que dans tous les arts visuels. Le style de décoration préféré dépend tout d'abord du genre de fleurs qu'on aime cultiver ou acheter. Et ceci est (ou devrait être) influencé par la couleur de l'ameublement. De plus, les fleurs vont diriger le choix du vase et le style de la composition. Et, bien entendu, il faut que les fleurs soient en parfaite harmonie avec leur cadre.

Il y a des gens qui ne veulent être entourés que de fleurs! Prenons le cas de l'homme ou de la femme dont le violon d'Ingres est de cultiver des roses, des glaïeuls, des dahlias ou autres. Ces gens-là sont souvent à la tête de plusieurs dizaines de pieds qui donnent des centaines de fleurs, toutes destinées à être coupées. On ne peut pas attendre d'eux qu'ils s'intéressent à une composition de style oriental où n'entrent qu'une ou deux fleurs!

Mais tout le monde ne peut avoir des fleurs en masse ni même le désirer.

Il y a le bouquet en soi. Mais c'est souvent un ornement. Ici, cette composition a visé à l'accord avec un certain cadre, lui apportant couleur et atmosphère.

Simple bouquet de roses buissonnières dans un vase en Wedgwood, moderne mais de forme traditionnelle. Ce bouquet, indolent et libre, convient particulièrement à ce genre de fleurs de jadis.

A fleurs modernes, bouquet moderne. Du fait que les fleurs bulbeuses durent plus longtemps dans un minimum d'eau, il y a tout avantage, pour les glaïeuls, à choisir une composition du genre de celle-ci.

Il y a ceux qui préfèrent ne voir que quelques fleurs artistiquement disposées. Il y en a d'autres qui mènent une vie si occupée que la pratique de l'art floral devient un luxe rarement permis. Leur point de vue sur la décoration florale n'est pas le même que celui des gens que j'ai cités en premier. Mais pour eux, il existe des méthodes simples dont je parlerai également plus loin.

L'amateur de décoration florale pure est souvent embarrassé par la simplicité dépouillée de l'art floral moderne et lui reproche de n'avoir rien de commun avec la manière classique de présenter les fleurs. Le terme de « composition florale » est évidemment trop restrictif et ne qualifie pas de façon satisfaisante toutes les formes de l'art floral tel que nous le voyons. Mais il n'y a pas d'autre expression et nous sommes obligés de l'employer, qu'il s'agisse de mettre un bouquet de roses dans une cruche, d'édifier un échafaudage d'épis ou de garnir un vase d'autel.

Ces simples fleurs, issues d'un rosier multiflore, peuvent composer
diverses sortes de bouquets, suivant leur importance. Celui-ci est
destiné à orner une table longue.

Décors de table

Jadis, s'occuper des fleurs, c'était à peu de chose près
en mettre quelques-unes dans un vase destiné à contenir
le plus d'eau possible. De nos jours, on trouve les vases
d'autrefois très incommodes ; de ce fait, on utilise des récipients de toutes sortes.

Les styles peuvent être classés en deux catégories : le
style conventionnel et le style libre, qui, nous le verrons,
sont eux-mêmes subdivisés. Très souvent, mais pas toujours, la fleur impose le style de la composition.

Les fleurs cultivées pour la vente doivent être aussi
parfaites et régulières que possible ; vous verrez donc
qu'elles ont tendance à donner des compositions de style
conventionnel même si, au départ, on ne suit pas un
thème bien déterminé.

D'un autre côté, les fleurs qu'on laisse pousser d'une
façon absolument naturelle tombent, en général, avec
facilité et bonheur, dans la catégorie des styles libres. Un
choix judicieux du vase accroît cette liberté et il en résulte
une composition pleine de charme. Il est donc possible
de réaliser une composition très libre avec les fleurs les
moins recherchées, mais avec les espèces naturelles plutôt
qu'avec les hybrides.

J'ai depuis longtemps appris qu'on peut laisser les
fleurs travailler pour nous ! On arrive facilement à la

liberté avec des fleurs simples et naturelles. Elles aiment généralement en faire à leur guise et il est sage de ne pas les contrarier. Quant aux fleurs achetées chez le fleuriste, vous verrez, comme moi, que c'est leur régularité qui est le plus facile à exploiter. Elles permettent de réussir des compositions de formes très classiques et compliquées; elles sont ainsi beaucoup plus belles que flanquées d'asparagus ou de fougère.

Quelle distinction! Ces narcisses sont disposés selon une courbe allongée; pour cela, on a raccourci inégalement leurs tiges.

Laissez votre personnalité transparaître

Sauf pour une exposition ou un concours, nous n'avons aucune raison de ne pas arranger les fleurs exactement comme cela nous plaît. Pourquoi contrecarrer notre goût?

C'est le moment pour moi de souligner que je ne cherche pas à vous imposer *votre* manière de disposer *vos* fleurs. Au lieu de cela, je m'efforce de vous expliquer comment je procède avec les miennes, ce qui est bien différent! Par ailleurs, je crois aussi que

Les fleurs classiques, telles ces jonquilles qui sont souvent fortement individualisées, doivent être disposées d'une manière à la fois habile et intuitive.

si vous acceptez ou adoptez les styles de composition actuellement à la mode, ils peuvent vous servir de moyen d'expression. Je prétends que la copie ne satisfait pas pleinement un débutant; il lui faut chercher à se créer un style personnel. Vous verrez que cela en vaut la peine.

C'est avec des jonquilles que j'ai fait mes premiers pas dans la création d'un style personnel. Pendant des années, je les avais mises dans un simple cruchon ou mélangées à des branches fleuries; mais un jour, mise en présence de plusieurs bottes de fleurs presque identiques, je décidai de les arranger différemment. J'eus l'idée de leur couper les queues à des longueurs différentes afin que les fleurs se détachent bien les unes des autres, puis de les planter sur un pique-fleurs lui-même posé sur un plat.

Depuis lors, cette disposition des fleurs en un simple arc de cercle fait partie des styles admis et l'on peut en voir des adaptations en toute saison.

Dans ce bouquet hivernal, les chrysanthèmes orange s'accordent avec l'envers des feuilles des *Rhododendron falconeri*.

Les bouquets traditionnels s'organisent pour la plupart selon certaines formes peu nombreuses. En voici un, qui, en gros, est un demi-globe.

Les structures classiques

Celles qui sont en vogue depuis de nombreuses décennies, voire des siècles, ont droit d'être qualifiées de classiques. Elles dérivent de la simple botte qu'on mettait jadis dans l'eau, telle quelle, en laissant les tiges liées. On imagine qu'un bouquet bien rond devait être placé sur une table basse où l'on pouvait commodément l'admirer, et une grande gerbe, dans un vase plus haut, avec un mur pour toile de fond.

Et puis l'art floral devint plus recherché. Au lieu de les laisser en bottes, on disposa les fleurs séparément,

Certains bouquets, même s'ils paraissent disposés avec négligence, sont fondamentalement traditionnels. Dans ce mélange de pois de senteur, œillets mignardise et roses, la ligne des tiges externes dessine une portion de sphère.

82

tout en respectant les anciennes structures. Dans une coupe, on gardait au bouquet sa forme arrondie. Les gerbes allaient par paires dans des vases symétriques.

On ne s'est jamais vraiment évadé de ces anciens styles car il n'y a rien qui les remplace tout à fait. Et les fleurs tendent à suivre d'elles-mêmes ces structures.

A mon avis, il est bon d'étudier les formes d'une plante et de tenter, en imagination, de les transformer en styles de composition. Prendre une forme naturelle et utiliser ses proportions comme guide est un enseignement.

En réfléchissant un peu, vous verrez qu'il n'existe que quelques formes, indéfiniment répétées. On voit la pyramide ou le cône partout autour de nous et il y a de nombreuses variations sur ce thème, depuis la pyramide stylisée du sapin à l'ovale élancé du cyprès, en passant par la silhouette triangulaire du pin. La sphère, qui est la forme de nombreux fruits, est coupée en son milieu quand elle devient un buisson ou une alysse. Comme ces formes sont dans la nature, quoi de plus normal que de nous en être inspirés pour façonner notre art?

Si l'on doit placer un bouquet contre un mur, il faut qu'il y adhère à plat. Il donne l'effet d'une gerbe, les tiges étant cachées par le vase.

Un « surtout » de table pour Noël,
sur le thème de la touffe. Sur
un support circulaire vert,
des ornithogalum-thirsoïdes
et des chrysanthèmes.

Arctotis et pensées forment
un triangle à haut sommet.
Ces quelques fleurs se déploient
en une large bande colorée.

Les roses thé s'adaptent
parfaitement aux formes
circulaires ou semi-circulaires
qui semblent répéter la silhouette
même de ces fleurs.

Bouquet d'hiver. Quelques tiges
taillées d'eucalyptus. Parmi elles,
trois tulipes et trois brins
de muguet. Le chiffre trois
donne ici sa valeur au thème
du triangle.

Des fleurs bleues et roses
de chicorée disposées en
un triangle de couleur autour
d'un triangle inférieur de feuilles
de chou qui encadrent
des chrysanthèmes pompon.

Voici un bouquet d'été : pivoines,
pois de senteur, delphiniums,
œillets mignardise et spirées
disposés en forme de globe
presque parfait.

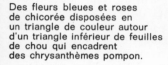

Le triangle est un thème
souvent repris. Ici, les ramilles
couvertes de lichen forment
un triangle à l'intérieur duquel
on a placé l'unique chrysanthème
et les courges.

Les grandes fleurs, comme
le dahlia, peuvent elles aussi
être disposées en touffes.
Ici, associées au fenouil jaune
dans une chope de cuivre,
elles décorent un buffet
de cuisine.

(Ci-dessus) On dispose d'abord la tige centrale, qui délimite la hauteur, puis les deux tiges latérales, à angle droit avec la première et qui délimitent la largeur du bouquet. Les tiges intermédiaires ne doivent pas être plus hautes que la tige centrale, ce qui fausserait les proportions.

Important : les tiges ne doivent jamais se croiser mais paraître jaillir d'une source unique située au pied de la tige verticale centrale.

Variations sur un thème

En dépit de leur grande diversité, la plupart des fleurs et plantes utilisées tombent facilement dans les formes classiques fondées sur la sphère, le cercle et le demi-cercle. Elles forment souvent des ensembles pleins d'élégance.

Pour un bouquet dont toutes les parties sont visibles, les tiges doivent partir du centre dans toutes les directions ; si on ne le voit que d'un côté, comme celui de l'illustration de cette page, il suffit d'un épanouissement en demi-cercle à partir de la tige centrale.

Cette disposition circulaire, très pratique, sert de base à de nombreuses décorations, comme nous le verrons au cours du chapitre suivant.

Le vrai cône est également pratique mais il a tendance à être plus conventionnel que les formes arrondies. La disposition conique est facile à exécuter et n'entraîne qu'une opération simple : changer la longueur des tiges. La tige centrale, qu'on met la première en place, doit être beaucoup plus haute que les tiges latérales. Plus les tiges latérales sont courtes

Des fleurs de pyrèthre et des pois de senteur disposés dans un thème circulaire; il s'agit en fait d'une sphère coupée par le milieu.
Le dessin reproduit presque un cercle.

et leur différence avec la tige centrale importante, plus la forme du cône sera accusée.

S'il s'agit d'une composition en longueur, par exemple dans une coupe basse, la tige centrale doit être beaucoup plus courte que les tiges latérales. Là encore, suivant la façon dont elles sont coupées et disposées, on obtient soit une composition conique, soit une composition circulaire.

Chose très importante : toutes les tiges doivent sembler avoir le même point d'origine, au centre même de l'ensemble. En pratique, c'est impossible, mais si chacune d'elles s'écarte de la tige centrale, qui est la seule verticale, c'est l'effet qu'elles produiront.

Des fleurs pour la table

Au cours des âges, bien des circonstances ont donné lieu à des décors de table extrêmement compliqués ; pourtant, à l'origine, le but recherché était assez simple. Du temps des Romains, par exemple, on croyait à la vertu de certaines fleurs pour prévenir l'ivresse ! On les entassait donc généreusement (et avec prévenance) devant l'invité connu pour donner libre cours à son penchant. Les roses étaient considérées comme particulièrement efficaces ; on en tressait souvent des guirlandes qu'on passait au cou de l'invité au moment où il se mettait à table. Ou encore, on les posait sur la table.

On croyait au pouvoir de certaines autres fleurs comme préventifs contre la fièvre et les espèces parfumées étaient fort prisées. On les mélangeait à des herbes odorantes pour en confectionner des bouquets qu'on posait sur des tables à travers la maison. Lorsqu'on recevait un invité de marque, les bouquets étaient plus importants et, par conséquent, plus parfumés qu'à l'accoutumée. Il arrivait parfois qu'il y ait sur une table un bouquet par invité.

Bien que l'usage des fleurs comme mesure prophylactique ait disparu, la coutume de placer une coupe de fleurs au milieu de la table a persisté. A tel point que pour beaucoup d'entre nous, une table sans fleurs semble incomplète.

A la maison, un décor de table devrait contribuer à l'intimité et à la chaleur d'une réception, mais il n'en a pas toujours été ainsi. Dans certains cas, le premier sursaut d'émerveillement ou de surprise passé, elles ont dû, au contraire, être intimidantes. Par exemple, comme on peut s'en douter, à la Belle Epoque, où l'art floral était à l'apogée de sa gloire ! Le faste dans les fleurs avait pour but de rehausser l'éclat de la pièce ; elles ne devaient pas être cachées par les têtes des invités. A présent, on fait des décors de table de faible hauteur pour qu'ils ne forment pas écran entre les convives. Ils font meilleur effet s'ils s'harmonisent avec le linge de table et la vaisselle, et si les fleurs n'ont pas de parfum, les mets sont plus savoureux !

(*A droite*) Un décor fin du XIXᵉ s.;
illustration tirée d'un magazine
de l'époque.

Qu'on est loin, ici, de l'opulence
du XIXᵉ s. On a glané au jardin
ces fleurs de poireau, ces épis
de lupin, de pavot et de lunaire
qui s'accordent avec
la porcelaine moderne.

89

Dans les décorations ci-dessus, la bougie constitue la « tige » principale.

Méthodes de composition

Comme je l'ai déjà dit, la disposition « circulaire » est une base excellente ; elle est le point de départ de nombreux agencements qui vont de l'imposante décoration d'un grand vestibule au décor de table d'un Noël familial.

La tige centrale est la plus importante. Il est payant de perdre un peu de temps à s'assurer qu'elle est à la fois convenablement placée et bien amarrée pour ne pas risquer de la déranger en disposant les autres tiges.

Si on utilise des bougies, il faut les considérer comme

(Ci-dessous) Délimitez d'abord les dimensions, et que toutes les autres tiges s'inclinent en s'éloignant du centre.

Axe imaginaire.   Tiges rayonnantes.

des fleurs ou des tiges. Si on emploie une seule bougie,
la mettre exactement au centre et faire partir les tiges de
points qui entourent sa base. S'il s'agit de deux bougies,
elles doivent être équidistantes d'une zone centrale qui
représentera l'axe de l'ensemble.

Les bougies sont faciles à disposer. Elles seront parfaitement maintenues par du grillage, même s'il vous faut
les soutenir pendant la mise en place des premières tiges
qui vont rapidement les étayer. J'utilise de la mousse de
Nylon et je place le grillage dessus ou autour. La base de
la bougie traverse le grillage et s'enfonce dans la mousse,
qui la retient solidement.

Si vous voulez installer une bougie sur un pique-fleurs,
réchauffez d'abord celui-ci en le plongeant dans l'eau
chaude. Les pointes se planteront alors facilement dans la
bougie; n'oubliez pas de sécher parfaitement le dessous
du pique-fleurs avant d'y appliquer la glaise.

Si vous utilisez un panier muni d'une anse, il faut tenir
compte de celle-ci. Repérez-en le centre et, s'il est impossible de faire tenir une tige droite en dessous (ce qui
dépend à la fois du style du panier et de la hauteur de
l'anse), imaginez un axe situé juste au-dessous du milieu
de l'anse et prenez-le comme point d'origine des tiges.

Si vous voulez édifier un ensemble avec plusieurs jattes
superposées, déterminez le centre de la jatte du haut et
reliez-le en esprit au centre de la jatte inférieure.

Pour fêter les Noces d'or.
Ce petit bol contient plusieurs
tiges très droites, mais l'effet
est adouci par le feuillage
naturellement doré et les
« coques ».

Si le sommet de la tige centrale
domine exactement le centre
de la base du vase, le bouquet
sera toujours bien équilibré.
Les tiges latérales s'écarteront
largement de la tige centrale,
elles seront basses et ajouteront
à l'ensemble un air de liberté.

Un vase surélevé confère de
la grâce au bouquet, surtout
si certaines des tiges sont
rigides. Cela permet aussi
d'utiliser des fleurs
à tiges courtes.

Si vous recherchez un tantinet
de liberté, disposez d'abord
la tige centrale et les tiges
latérales, mais il n'est pas
nécessaire que les autres tiges
« dessinent » une ligne
particulière. Coupez-les et
groupez-les à divers niveaux;
certaines des fleurs les plus
grosses doivent être en retrait.

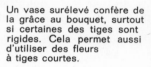

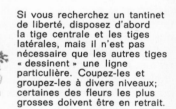

Un bouquet d'œillets en forme d'ananas, des feuilles de croton et des boules de Noël décoreront une table de réception.

Ce bouquet de chrysanthèmes traditionnels a été disposé dans un bol à punch en argent. Les fleurs en rameau sont parfois trop rapprochées les unes des autres; il faut donc élaguer la tige centrale, pour qu'elle ne s'alourdisse pas à son sommet.

Les bouquets « en cercle » n'ont pas nécessairement besoin d'un vase bas. De ce petit vase en forme de coquillage soutenu par un dauphin s'élèvent des pensées et des mignardises à tiges courtes; on peut ainsi les admirer et les respirer tout à son aise!

Les bouquets composés d'espèces aux formes diverses sont souvent plus séduisants si on groupe ces fleurs par genres ou par couleurs. Pourtant, il ne faut pas les séparer trop brutalement, mais procéder à une harmonieuse fusion.

Bouquet placé au bout d'une table. On peut le « tailler » aux dimensions requises en allongeant ou en raccourcissant les tiges latérales.

Idées de décors de table

Les décors de table dépendent manifestement en grande partie des dimensions de la table et du nombre de convives; mais nous avons plus de chances de combiner un décor original et agréable si nous voulons bien admettre que nous n'en sommes pas réduits à une coupe centrale.

Prenons l'exemple de la pièce exiguë où la table est souvent repoussée contre un mur. Si vous mettez vos fleurs à ce bout-là, elles feront bon effet et vous verrez que c'est une place commode. Vous aurez tout le reste de la table pour disposer le couvert.

Dans ce cas, vous pouvez mettre un décor en longueur fait sur mesure ou un bouquet triangulaire presque à plat contre le mur. Les décors symétriques donnent de bons résultats et vous verrez que l'emploi de bougeoirs convient aussi. Des étagements de fleurs, ou de fleurs et de fruits mélangés, peuvent flanquer un dôme de fruits.

Un des avantages de cette disposition : les fleurs ne gênent jamais la vue des invités !

Et les tables dressées en buffet ? Deux ou plusieurs décors sur toute la longueur, qui laissent le milieu libre, conviennent parfois mieux qu'un seul vase central : il reste de la place pour disposer les plats. Mais assurez-vous que les fleurs ne montent pas haut.

Les décors en diagonale partagent joliment la table. La ligne peut être tracée par du feuillage, par exemple du lierre, sur lequel on répartit des coupes de fleurs suivant les dimensions de la table et la circonstance.

Sur une très grande table, les fleurs disposées à des hauteurs diverses sont décoratives surtout quand on s'arrange pour que les plus courtes des grands bouquets effleurent celles des petits. Quelquefois, on peut réaliser cette différence de niveau, ou bien l'accentuer, à l'aide de bougies.

Étudiez le dessin de la vaisselle et du linge de table afin de choisir des fleurs qui soient en harmonie.

Souvent, deux ou plusieurs bouquets sont plus jolis qu'un seul, surtout si on les dispose en diagonale, en laissant un espace libre au centre.

LES FLEURS EN APPLIQUE MURALE

Dans une maison, nombreux sont les murs où l'on peut
disposer des bouquets. Il convient donc que ces bouquets
s'appliquent à plat sur le mur. Pourtant, cette composition ne doit jamais manquer de relief ni de contours gra-
phiques.

La plupart de ces combinaisons sont, pourrait-on dire,
des volumes pleins coupés par le milieu. Un demi-cône
aura une silhouette triangulaire, une demi-sphère aura
une forme circulaire ou semi-circulaire. Sur ces deux
structures importantes, on pourra broder toutes les variations possibles.

La seule différence avec les compositions en volumes
pleins est que, dans ce cas, un seul aspect du bouquet
est à considérer. Mais ne prenez pas cette idée de bouquet coupé par le milieu trop littéralement : vous risque-
riez de constater que le résultat est trop plat pour plaire
à l'œil. Tout dépend de l'endroit où vous l'avez placé,
mais attention : vu de profil, il sera peut-être tout bonne-

Idéal pour les mélanges floraux :
le bouquet en applique murale.
De hautes tiges gracieuses
lui donnent de la hauteur;
on peut rassembler des fleurs
à tiges plus courtes en bas,
au centre, au niveau du bord
du vase ou même à un niveau
inférieur.

ment affreux. Il est donc important que ces compositions, ainsi considérées, aient bon aspect. Heureusement, c'est chose facile à faire.

Même si, en un sens, nous partageons en deux le volume floral, il n'est pas nécessaire d'en faire autant de la capacité du vase. Donc, si comme précédemment nous plaçons verticalement la tige la plus haute au centre du bouquet mais que, au lieu de la piquer au milieu du vase, nous la repoussions le plus possible, le vase reste presque entièrement vide. Nous pourrons alors disposer les autres tiges comme nous l'avons appris, l'une après l'autre s'écartant un peu plus de la tige centrale verticale, dont la hauteur détermine celle du bouquet.

Tout en disposant vos fleurs, examinez de temps en temps le profil de votre bouquet. Mettez-vous pour cela à la place d'un visiteur qui entrerait dans la pièce.

Il vous suffira souvent d'une feuille ou d'un court rameau se penchant hors du vase, du côté du mur. Mais il faudra parfois disposer les fleurs elles-mêmes selon un arc supérieur à 180°.

L'importance des vases

Une fois de plus, nous voyons que l'attrait d'un bouquet ne dépend pas seulement des fleurs. Certes il faut que les fleurs soient belles; mais les vases doivent être choisis avec soin. Par exemple, un vase à pied exhaussera les fleurs et leur donnera de l'élégance et de l'importance, si elles ont des tiges courtes. Dans un bouquet composé aux contours très divers, l'idéal est, à ras du vase, une profusion éclatante de fleurs à tiges courtes.

Une grande partie des fleurs produites industriellement et qu'on achète dans le commerce ont des tiges très droites et très raides qui posent souvent des problèmes d'équilibre dans l'arrangement ou la composition. Un vase à pied y remédiera.

Les tulipes (*ci-contre*) ont des tiges droites, peu susceptibles de s'amollir dans l'eau, mais le vase et les ramilles piquées derrière elles leur donnent un air un peu moins sévère. Un des avantages du vase à pied sur les hauts vases à grande capacité, c'est qu'on a besoin de moins de fleurs pour le remplir! L'accord entre les fleurs et le vase

(Ci-dessous) La plupart des fleurs de ce bouquet, les pensées, les scabieuses, les mufliers, les pois de senteur et les pétunias, ont des tiges courtes, mais le pied du vase, en forme de dauphin, les exhausse avec grâce.

(En bas de page) Ce petit vase à pied s'accorde joliment avec les couleurs des feuilles de lierre et de tulipes. Il confère de la dignité à cette douzaine de tulipes doubles à tiges courtes.

est d'une grande importance. Il faut choisir un vase assorti aux fleurs par la taille, la couleur et la matière, de telle façon que fleurs et vase ne fassent plus qu'un.

Ce n'est pas difficile à réaliser. Si vous examinez les illustrations qui suivent, vous constaterez que dans chaque cas, la disposition des fleurs et autres éléments qui composent le bouquet rend invisibles les bords du vase même, éliminant ainsi toutes lignes dures et trop bien tracées.

Cette composition a un autre effet : en faisant déborder les fleurs du vase, on approfondit le bouquet à sa base. Ce qui améliore son profil.

Une fois encore, notez que toutes les tiges ne s'allongent pas également hors du vase. Certaines sont plus courtes : celles des pensées, du lierre, des myosotis.

Si les fleurs débordent du vase en une retombée, le bouquet prend toute sa substance. Mais les tiges jaillissantes ne doivent pas être d'égale longueur.

Pas de limites aux idées

Il n'y a pas de limites aux idées que vous pouvez choisir pour composer vos bouquets muraux. Leur classicisme ou leur allure de liberté dépendent également des fleurs, des autres éléments, du style du vase ainsi que de la nature de l'endroit où le bouquet doit être placé.

D'une façon générale, les fleurs de production industrielle, uniformes, ont tendance à illustrer des compositions classiques. C'est l'emploi de certains accessoires qui peut leur donner cette allure de liberté. En fait, on peut éprouver un grand plaisir lorsqu'on essaie de réaliser un tableau libre à partir de matériaux qui, apparemment, ne s'accordent pas entre eux.

Si votre temps vous est compté, le mieux et le plus sage est de faire des compromis. Arrangez-vous pour disposer d'un choix de vases aptes à recevoir les fleurs achetées chez le fleuriste. Imaginez des formes de bouquets qui vous conviennent et que vous puissiez disposer facilement et rapidement. Ne confondez pas ressemblance et monotonie! A chaque saison, c'est le changement.

Les compositions classiques sont symétriques et basées

Neuf anémones disposées avec des tiges de cotonéaster. Feuillages, baies, ramilles printanières, boutons et bourgeons, vous permettront de n'employer que peu de vraies fleurs.

sur la sphère ou sur le cône. Par exemple, le triangle. Six fleurs suffisent pour composer un triangle, en raccourcissant les tiges : une fleur au sommet; une fleur de chaque côté de la première un peu plus bas; une autre encore, au centre et plus bas que les deux fleurs latérales; et enfin deux autres, au même niveau que la précédente mais plus éloignées encore. Si les fleurs en question sont pourvues de feuillage, le bouquet sera réussi du premier coup; mais il est plus vraisemblable qu'en y ajoutant des matériaux disposés à l'intérieur du triangle, on pourra l'améliorer.

Si vous faites travailler votre imagination, vous découvrirez bien des manières de composer de gros bouquets avec peu de fleurs. Disposons une simple branche de hêtre, de pin ou d'érable à l'arrière d'un vase, de façon à ce qu'elle délimite un triangle ou un demi-cercle qui définisse la taille et la forme du bouquet recherché. Il s'agit d'émonder les branches adventives mal situées, de les replacer pour qu'elles débordent du vase, ou de les réassembler plus tard parmi les fleurs à tiges droites, sur la jolie toile de fond de leur feuillage.

Un magnifique chou panaché offre non seulement une large surface de présentation, mais ses feuilles dentelées, de forme peu ordinaire, apportent une note d'originalité aux classiques chrysanthèmes. Cet effet est encore renforcé par l'envers argenté des feuilles de grevillea.

Couleurs et récipients sont choisis en fonction de la pièce à laquelle les fleurs sont destinées. Dans ce bouquet pour une cuisine, une casserole en cuivre garnie d'immortelles.

Les fleurs embellissent le foyer

Si des fleurs doivent participer pour une grande part à la décoration de votre maison, ne les choisissez et ne les disposez pas trop au hasard. Avec un brin de réflexion, elles deviendront vos alliées!

Vos fleurs peuvent susciter des illusions. Si vos pièces sont basses, les fleurs, situées plus près du plancher que du plafond, suggéreront une idée de hauteur, si le bouquet est disposé selon les lignes verticales adéquates. Si vos plafonds sont hauts, placez vos fleurs sur des étagères, des tables hautes, ou dans des vases muraux. Eclairez vos coins sombres avec des piliers floraux dans les nuances blanc, jaune ou pastel qui réfléchiront le moindre soupçon de lumière. Si vos murs sont tapissés de papier à motifs, choisissez un thème monochrome.

L'endroit idéal, c'est un mur situé entre deux fenêtres, bien éclairé mais où le soleil n'est pas trop fort. Si ce mur est en face de la porte, quel charmant accueil!

L'hiver, les bruns sombres des plantes naturalisées donnent une étonnante impression de chaleur. L'été, les verts clairs et les blancs produisent un effet de fraîcheur aérée qui est agréable et reposant. Les fleurs peuvent doucement illuminer votre cheminée. Un vase sur un mur nu, et le voici merveilleusement habillé — mieux habillé que par un artifice de décoration.

Une habile répartition des couleurs donnera de nouvelles proportions à vos pièces. Disposez plutôt les fleurs rouges au fond d'une pièce qu'en son milieu, car le rouge rapetisse. Inversement, le bleu donne une impression d'élargissement. Un bouquet bleu sur le mur d'une petite pièce paraîtra l'agrandir. Si le cadre convient, deux bouquets bleus feront encore meilleur effet. Dans ce domaine, les possibilités sont infinies.

Un cône « byzantin » de chrysanthèmes simples fait un décor d'angle remarquable, surtout si la couleur des fleurs est assortie au mobilier.

Le jumelage

Bien des endroits de la maison se prêtent au jumelage des bouquets. Un dessus de cheminée, une desserte, une commode, une coiffeuse. Lors de vos soirées, vous donnerez à une table dressée en buffet plus de charme et d'intérêt si vous y posez des bouquets jumeaux.

Il n'est guère besoin de plus de fleurs pour confectionner des bouquets jumeaux qu'un seul ensemble un peu plus important. Si ce projet de jumelage floral s'accorde bien avec le décor de votre foyer, pourquoi ne pas garder en permanence des éléments de flore naturalisée, assez séduisants pour se faire valoir d'eux-mêmes, mais que cependant vous pouvez « attifer » lors de vos réceptions? Songez à de jolies branches courbes de saule ou de genêt, se terminant par une touffe de feuilles, par une grappe de fruits séchés tels que le bourgeon de camphrier ou la cosse d'agave : pour les ressusciter, il suffit d'une simple orchidée ou de quelques autres fleurs disposées en arc de cercle.

Dressés sur une paire de chandeliers en vieux Sheffield, narcisses, tulipes, iris et jacinthes, en fleurs et en boutons, accompagnés de feuilles d'érable et de viorne, sont du plus heureux effet.

On serait mal avisé de confectionner d'abord un bouquet, puis le second à sa ressemblance. Apparemment, les fleurs qui vous restent ne semblent jamais s'accorder aux premières. Il vaut mieux composer les deux bouquets en même temps; si dans l'un d'eux se trouve une tige basse qui penche vers la droite, essayez d'inclure dans l'autre une tige semblable qui penche vers la gauche.

Leur forme dépend évidemment de leur emplacement. La symétrie est bonne. Mais l'asymétrie a parfois bien des charmes. Supposons que vous placiez des bouquets jumelés de part et d'autre d'un tableau, sur un dessus de cheminée, vous les disposerez en croissant de façon à ce qu'ils « enlacent » le tableau.

D'un autre côté, vous pouvez composer un double triangle en hauteur; les côtés de l'angle droit de chaque triangle suivront le cadre du tableau, et leur base se situera en dessous. Si vous désirez donner plus de « largeur » au mur de support, il vous suffit d'allonger la base de ces triangles.

Pour réaliser deux bouquets symétriques, il faut les composer en même temps afin que l'équilibre soit parfait.

L'ART DE COMPOSER AVEC PEU DE FLEURS

La beauté d'un bouquet n'exige pas nécessairement une grande quantité de fleurs. Une seule fleur suffit parfois et il m'arrive souvent de n'en utiliser que trois. La gerbe de douze achetée au marché, je la divise en quatre pour qu'il y en ait un peu partout dans la maison.

Si vous disposez de peu de fleurs, cela vous inspirera peut-être une décoration qui exaltera la beauté d'une fleur particulière.

Les Japonais, qui ont pratiqué l'art floral pendant des siècles, n'utilisent que très peu de fleurs et autres éléments végétaux, mais s'attachent à la beauté des vases et à créer des lignes stylisées. Leur art, ainsi que les autres styles modernes orientaux qui en sont dérivés, a exercé son influence dans le monde entier.

Dans le passé, le bouquet occidental était d'apparence robuste, parce que, dans les climats tempérés, les végétaux abondent! Cependant, la population ayant augmenté, ainsi que la commercialisation des fleurs, les maisons étant mieux chauffées — ce qui accélère la maturation des fleurs coupées et en fait des articles coûteux —, comme par ailleurs nous avons moins de temps à leur consacrer et considérons généralement la décoration intérieure avec un regard neuf, il existe une tendance contemporaine à utiliser moins de fleurs, la beauté plastique passant au premier plan. On obtient ainsi des résultats souvent passionnants mais qui doivent s'accorder avec

les lieux. Généralement, un cadre contemporain leur convient mieux. Mais on peut améliorer cette harmonie en choisissant, par exemple, un vase assorti au reste de la pièce.

Si l'on supprime une seule des lignes plastiques d'un bouquet, il aura l'air inachevé. Chaque ligne a son importance, sa valeur, sa nécessité — nous le verrons dans les pages qui suivent.

Cette plastique, l'œil s'entraîne à l'évaluer. Au début, souvent, le néophyte a tendance à encombrer sa composition; il amasse quantité de ramilles là où trois ou quatre auraient suffi; plus tard, il se rend compte que l'espace et les vides ont eux aussi une valeur décorative. Un espace vide ménagé entre deux lignes plastiques accentue leur beauté.

Compositions exécutées avec le minimum de fleurs : *(A gauche)* Une seule jacinthe et des émondes de clématites. *(Ci-dessus)* Une simple feuille de chou est assez belle pour accompagner trois jonquilles. *(A droite)* Un arum, une jolie feuille et deux joncs suffisent pour composer un bouquet séduisant si les tiges sont habilement disposées.

Le sommet de la plus haute tige, le *shin*, qui représente le Ciel, doit toujours être à la verticale de sa base. La seconde, le *soe*, doit atteindre les deux tiers de la tige principale. Le *hikae*, qui représente l'Homme, occupe une position inférieure et doit même être toujours plus courte que les tiges qui seront disposées après elle. Cette règle est valable aussi bien pour les fleurs groupées que pour les fleurs nettement séparées, comme le sont ces iris.

Les principes de l'art du bouquet oriental

Les règles japonaises d'arrangement sont strictes mais profitables. Pour s'y conformer fidèlement, il faut faire de dures et longues études... En art floral comme en philosophie! Si on ne veut pas s'en tenir à ces règles, il est quand même profitable de les étudier, car elles sont basées sur le bon sens.

Le dessin de la base est un triangle irrégulier; trois tiges, les **shushi**, en forment les côtés. On peut y ajouter des tiges appelées **jushi**, mais on doit toujours les

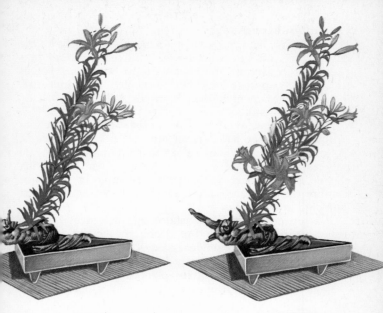

placer à l'intérieur du triangle des **shushi** qu'elles ne doivent jamais dominer.

Il y a des siècles, un maître enseignait pieusement que ces trois tiges représentaient le Ciel, la Terre et l'Homme : **shin, soe** et **hikae. Shin** est la plus importante et la plus haute. Cette tige doit être courbe et son extrémité se retrouver à la verticale de la base. Ce qui contribue à l'équilibre et au charme de la composition.

Vient ensuite le **soe**, qu'on place à côté de la tige principale. Hors de l'eau, le **shin** et le **soe** doivent s'élever de concert, mais, un peu plus haut, le **soe** doit s'éloigner et suivre son propre chemin pour atteindre les deux tiers de la hauteur de la tige principale. Le **hikae,** la troisième tige et la plus courte, occupe une position inférieure. Il en est toujours ainsi et le **hikae** doit se pencher vers l'avant mais pas exagérément; le bouquet acquiert ainsi une troisième dimension. Quant aux tiges secondaires, on les ajoute en dernier lieu. Et l'on considère généralement qu'il suffit d'en disposer trois ou quatre dans le bouquet.

Les bouquets-images

De nos jours, bien des gens s'intéressent à l'**Ikebana**, ce qui signifie : art de garder en vie les fleurs coupées dans l'eau. Il recouvre en fait tout l'art du bouquet japonais tel que l'ont interprété les diverses écoles. Pour tout dire, il y a apparemment autant de styles d'**Ikebana** que de styles occidentaux!

Généralement, pourtant, il consiste à composer des bouquets avec peu de fleurs en suivant des règles précises. Cette méthode est populaire car tout le monde, riches ou pauvres, avec ou sans jardin, peut l'appliquer. En réalité, elle ne diffère guère de la méthode simple et libre que nombre d'entre nous pratiquent depuis des années pour leur plus grande joie.

J'ai souvent plaisir à constater que des idées que ma seule expérience m'avait fait découvrir avaient, en fait, été exposées par mes prédécesseurs. Ainsi, cette règle de l'**Ikebana** selon laquelle l'eau du vase représente la terre nourricière d'où jaillissent les plantes.

Egalement dans l'**Ikebana,** les bases des tiges — tou-

Ces branches de pin et ces agapanthes évoquent un paysage d'arbres et de fleurs qui poussent entre des rochers. En fait, les pierres dissimulent le pique-fleurs qui retient les tiges.

jours visibles — devraient être assez rapprochées pour donner l'illusion d'être sorties en même temps de la terre qui les portait. A mon avis, tous les éléments d'un bouquet doivent sembler être issus d'une même source, ainsi que je l'ai déjà souligné.

En vérité, non seulement la chose est agréable au regard, mais encore c'est une règle de bon sens! De cette manière, il est d'autant plus facile de composer la plastique du bouquet et vous aurez d'autant moins de mal à camoufler votre système de support des tiges que celles-ci seront plus proches les unes des autres.

On peut utiliser, et même exploiter, cet effet naturel en composant, à l'aide de quelques fleurs et accessoires, un bouquet qui nous raconte une histoire ou qui nous décrit une scène. Il s'agit là de l'adaptation d'une méthode japonaise plus subtile. Des récipients solides, et qui évoquent la terre sont nécessaires. Assez vastes pour que l'eau y soit bien visible. Assez profonds pour retenir un bout de branche relativement long ou des fleurs dont il y a lieu de craindre la fragilité.

Chatons de saule, jonquilles, ellébores font un tableau printanier. La mousse d'Islande garde aux fleurs leur fraîcheur et cache leurs supports.

(En haut à gauche) Cornouiller panaché, tulipes perroquet et arums sauvages, disposés en croissant dans un étroit vase noir de ligne moderne.

(En haut à droite) Dans cet arrangement peu ordinaire, la coupe de cuivre et les feuilles mettent en valeur le bouquet de violettes et forment avec lui une harmonie complémentaire.

(En bas à gauche) Un bouquet hivernal durable de désespoirs-des-peintres et de fougère dans un bol de cuivre. Des ajoncs brûlés lui donnent de la hauteur tout autant qu'une touche d'originalité.

(En bas à droite) Trois iris anglais disposés en triangle. Deux feuilles d'hosta accentuent la ligne courbe des fleurs, et des épis de lotus apportent un agréable contraste de texture.

(En haut à gauche) Deux touffes de perce-neige plantées sur des pique-fleurs à pointes et accompagnées de ramilles de lierre reproduisent l'atmosphère d'un jardin au printemps. La petite planche de bois fournit un support décoratif.

(En haut à droite) Ici, trois têtes de chrysanthèmes seulement; mais les feuilles d'aspidistra enroulées et la massette les exhaussent et donnent de l'attrait à la composition.

(En bas à gauche) Six tulipes à tiges courtes émergent d'un demi-cercle formé par des feuilles de grevillea. En fait, il s'agit de deux bouquets triangulaires reliés par une fleur centrale encore verte.

(En bas à droite) Une poignée de fleurs dans une chope scandinave moderne. Les jonquilles sont d'abord liées à la main puis calées dans le récipient par la botte de primevères et de lierre.

Utilité et importance des accessoires

Pour réaliser une peinture séduisante, il faut à la fois des matériaux et de l'inspiration, mais dans l'art du bouquet il arrive souvent que les matériaux constituent la source même de l'inspiration.

Le décorateur avisé se constituera un stock d'accessoires. Leur diversité est extrême, pratiquement illimitée sauf en cas de concours, où le règlement prescrit les objets permis et interdits. L'art floral « pop » actuel va jusqu'à utiliser des plumes et des ressorts de sommier! Personnellement, je préfère des matériaux de même nature fondamentale que les fleurs, bien que j'aime aussi à employer des coquillages et autres objets de la mer.

De ces objets, vous pourrez en remplir tout un placard; vous ne serez jamais en peine de découvrir celui qui s'accordera avec telle ou telle fleur, en telle ou telle saison. Certains matériaux sont, c'est du moins mon avis, classiques. Les coquillages, par exemple, paraissent convenir également à toutes les fleurs.

Evidemment, la gamme des fleurs est si étendue que certains coquillages conviendront mieux à certaines espèces qu'à d'autres. Pourtant, l'aspect satiné, couleur d'arc-en-ciel, des uns, les rend frères des fleurs. Chez d'autres, la rugosité s'accorde à l'écorce des arbres.

Une gorgone-éventail en forme de feuille sur laquelle se détachent cinq jonquilles jaunes disposées en croissant. La courbe est rappelée par les coquilles Saint-Jacques d'où jaillissent les fleurs.

Pour les fleurs, bougies et feuilles
sont des accessoires classiques.
Ici, des feuilles séchées, peintes
en rouge pour être assorties
aux anémones, encadrent de
leurs contours incurvés
trois bougies de même couleur.

Mon choix s'étend des minuscules bigorneaux jaunes, qu'on sème dans une jatte de verre qui contient des jonquilles, jusqu'aux grandes coquilles Saint-Jacques où l'on dispose des bouquets.

Les feuilles peuvent être conservées et mises de côté. Certaines ne gardent que leurs nervures : feuilles de magnolia et souvent de ficus.

En contraste absolu avec ces objets naturels, voici les bougies : elles fournissent les ressources de la couleur, soit qu'elles y suppléent, soit qu'elles donnent le ton à la composition. Si au centre d'un bouquet vous disposez une majestueuse bougie de couleur, vous n'aurez guère besoin de placer une grande quantité de fleurs autour de ce pivot pour parachever votre composition !

Les bons associés

Les rameaux de bois mort sont des accessoires classiques qui ajoutent à la beauté d'une composition, que ce soit avec une orchidée ou avec une marguerite. A mon avis, cependant, le vrai bois mort est le bois flotté, poli et rendu soyeux par l'action de l'eau et du sable. On peut le simuler en dépouillant une branche de son écorce, mais le résultat n'est pas heureux.

Un accessoire peut jouer plus d'un rôle. Ici, le rameau de bois mort, les coquillages et les pierres ne se contentent pas de soutenir les cinq tulipes perroquet; ils rehaussent également leur beauté.

(Ci-dessus) Une haute branche de chatons de noisetier qui s'épanouiront joliment à la chaleur et une ramille de lierre ont transformé un modeste bouquet de violettes en une décoration tout indiqué pour l'angle d'une pièce.

(Ci-contre) Vous pouvez faire sécher massette et jonc et les conserver : ils vous serviront maintes et maintes fois. Les cônes et les feuilles séchées conviennent aux fleurs d'automne.

Les branches couvertes de lichen sont également très belles. On peut s'en servir longtemps en arrosant le lichen de temps à autre. On trouve aussi des branches de mélèze ornées de lichen et chargées de cônes.

Pour les tables et les buffets on utilise aussi des champignons frais et comestibles. Des vénéneux également, s'il n'y a pas d'enfant dans la maison. Les meilleurs : ces fongosités qui s'attachent aux troncs des arbres et qui sèchent naturellement. Au pied d'une branche printanière, elles sont d'un heureux effet.

Le choix de ces branches printanières semble évident. Mais certaines qui portent des chatons — noisetier ou saule — peuvent être mises à sécher et utilisées pendant plusieurs semaines, et même un mois ou deux, selon certains.

N'oubliez pas pourtant la jolie branche vive qui jouera dans votre bouquet le rôle de l'arbre.

On peut conserver bien des espèces d'herbes. Elles ne s'accordent pas seulement avec les fleurs séchées, mais parfois aussi avec les fleurs fraîches.

(A gauche) Il n'est pas toujours aisé de planter une tige épaisse sur un pique-fleurs à pointes; mais si on fend par le milieu la partie qui plonge dans l'eau, l'écartement permet de l'empaler sans mal.

(Ci-dessous) Il est parfois possible d'arranger une branche de bois mort comme n'importe quelle autre tige. Ici, on a entortillé autour de la branche, sur une hauteur de plusieurs centimètres, les piquants du grillage installé dans le vase.

Techniques de montage

Si vous utilisez toutes sortes d'accessoires, vous devez être capable de les disposer d'une main sûre. La difficulté d'exécution n'offre aucun avantage! Si vous ne voyez pas immédiatement le moyen commode, cherchez-le ou inventez-le. Souvent, l'un des éléments visuellement importants d'une composition s'avère pratique. Par exemple, les pierres et les coquillages peuvent servir à maintenir les pique-fleurs qui supportent les tiges lourdes, à coincer les

(Page ci-contre, en bas)
Ce rameau est partiellement
soutenu par le rebord
du récipient, mais pour
lui donner un surcroît de solidité,
on l'a encerclé de fil de fer
dont on a passé les extrémités
entre les pointes du pique-fleurs.

(Ci-contre) Si l'on veut qu'une
branche de bois sec se tienne
inclinée au-dessus d'un récipient,
il faut la monter sur du fil de fer
de fleuriste dont on insère
très facilement les extrémités
dans le pique-fleurs.

branches courbes ou à dissimuler les autres dispositifs utilisés pour amarrer solidement les matériaux.

Du moment qu'il ne se voit pas, n'hésitez pas à employer du fil de fer pour empêcher une tige de bouger. A mon avis, du fil de fer de fleuriste — en double ou triple si nécessaire — tordu en épingle à cheveux est le meilleur moyen de maintenir un rameau de bois mort biscornu au-dessus d'un récipient. Passez le rameau dans la boucle et fixez les deux branches de l'épingle au fond du vase. Employez de longs fils de fer pour les récipients profonds.

On peut monter des branches de bois sec sur du fil de fer ou les visser sur une plaque de bois. Mais en général on s'aperçoit qu'il est possible d'en maintenir une dressée en la posant à cheval sur une autre. Les pique-fleurs et les pierres font le reste. Cependant, on trouve dans le commerce divers systèmes brevetés dus à l'ingéniosité de certains professionnels.

Pour installer des champignons, il suffit, la plupart du temps, de les piquer sur du fil de fer.

Jonquilles, cryptanthus, scindapsus et hedera (lierre)..., les plantes de serre sont si variées et si pittoresques qu'il est possible de les harmoniser avec la plupart des fleurs.

LES BOUQUETS DE LONGUE DURÉE

Parmi les nombreux accessoires de la décoration florale, n'oublions pas les plus naturels de tous : les plantes elles-mêmes! On peut disposer certaines plantes en utilisant une racine comme centre : par exemple, une rosette de désespoir-des-peintres ou un chou ornemental de couleur éclatante. On peut également réaliser des combinaisons de fleurs coupées et de plantes en pots; on trouve ainsi maintes possibilités de faire des bouquets durables.

Rien n'empêche d'édifier l'ensemble de telle façon qu'on puisse ôter les fleurs fanées pour les remplacer; en effet, il est des plantes qui durent des mois, même si on les a un peu bousculées pour les besoins du bouquet.

Si cette formule vous plaît — et je la recommande particulièrement aux citadins car elle représente non seulement l'une des formes de l'art floral mais aussi du jardinage en chambre —, vous verrez que les accessoires décrits au chapitre précédent sont indispensables. Il vous en faudra beaucoup pour cacher, caler et tenir les pots.

Orchidées, dracaena, cordyline et cryptanthus. Les pots, dissimulés par une souche, sont disposés dans un vase à pied avec des cosses de yucca.

Si vous possédez une serre, vous pourrez créer une grande diversité de ces combinaisons; vous aurez toutes facilités de soigner et régénérer vos plantes afin qu'elles reprennent assez bon aspect pour accompagner des fleurs. Et le choix des plantes à faire pousser peut vous être donné par les idées de composition que vous avez.

L'agencement des coloris est aussi valable pour les combinaisons de plantes et de fleurs que pour les fleurs seules. Et vous verrez que l'effet produit peut être aussi original et stimulant. Tout dépend du genre de plante que vous choisissez.

Nombre d'entre nous ont des vases qui sont trop grands pour y mettre des fleurs; garnis de plantes et rehaussés par la couleur des fleurs coupées, ils ont souvent plus de cachet. La combinaison plante-fleurs peut avoir l'élégance d'une composition florale pure, surtout dans un vase à pied. Choisissez donc des plantes qui retomberont gracieusement sur le bord du vase, d'autres qui se dresseront tout droit et certaines qui s'inclineront.

Comment remplir les récipients

Il vaut mieux installer ensemble les plantes en pots et les réservoirs qui contiennent l'eau pour les fleurs afin que les premières puissent caler et dissimuler les seconds. On peut garnir la plupart des vases de mousse de Nylon et y enfoncer le pot en totalité ou en partie; cela permet d'incliner les plantes à l'angle voulu. Autre avantage : l'évaporation de l'eau dont on a imprégné la mousse synthétique crée autour des plantes un climat humide qui leur est favorable.

Les réservoirs d'eau pour les fleurs doivent être proportionnés à l'importance du bouquet autant qu'à l'épaisseur des tiges.

Je dispose de plusieurs cônes de métal, de tailles et de longueurs variées, peints en vert pour qu'ils passent inaperçus. Certains sont montés sur de minces baguettes. J'utilise également des tubes à cigares, des tubes pharmaceutiques, des pots de crème en carton et les cylindres de mousse de nylon vendus chez les fleuristes et qui conviennent aux fleurs à fortes tiges. Attachez des ballonnets gonflés d'eau à la tige d'une fleur : votre plante grimpante aura l'air de « fleurir ». Un échafaudage de réservoirs vous permettra de disposer vos fleurs à différents niveaux.

Il est souvent utile de disposer une petite grille à l'embouchure d'un cône, sinon toutes les tiges risquent de s'aligner à la verticale.

On peut également utiliser le terreau, le sable ou la tourbe pour y « immerger » les plantes en pots. Les surfaces bien couvertes ont du charme; en plus, elles ralentissent l'évaporation. La mousse a beaucoup d'allure. Quant au lichen, il faut le tasser pour qu'il tienne. Attention de ne pas faire rejaillir l'eau.

(En haut) On peut cacher les réservoirs d'eau pour les fleurs en les glissant au milieu des plantes. *(Au centre)* Il faut choisir les plantes aussi bien pour leur utilité que pour leur beauté. Les plantes rayonnantes comme ce chlorophytum fournissent le centre d'une composition et dissimulent le récipient des fleurs enfoui à l'arrière. *(En bas)* Les combinaisons plantes-fleurs peuvent être aussi simples que celle de cette corbeille garnie d'un syngonium et d'un pélargonium à feuilles de lierre.

Fleurs s'accordant avec les plantes

Certaines fleurs semblent avoir des affinités naturelles avec les plantes de serre; il n'est pas nécessaire d'avoir des notions de botanique pour s'en rendre compte. En général, celles qui ont des tiges très feuillues, duveteuses ou velues ne font pas très bon effet. Leur feuillage contrarie celui des plantes. Une exception à cette règle : la rose, qui paraît s'accorder avec tout; et pourtant, même là, il peut être bon d'ôter quelques feuilles. Mettez-les de côté car elles vous serviront à caler les tiges et à cacher le bord du vase.

Les arums sont décoratifs, ce qui s'explique sans doute par le fait que beaucoup de plantes d'appartement appartiennent à la famille des aracées. L'idéal, ce sont les fleurs bulbeuses à tige lisse. Dans un précédent chapitre, j'ai parlé de la possibilité de n'utiliser que trois fleurs tirées d'une gerbe; précisément, la combinaison plante-fleurs vous l'offre.

Le dessus d'une feuille n'est pas forcément le plus joli. L'envers a souvent des teintes magnifiques! Assor-

Dans un gros champignon séché, le rameau de bois mort s'encadre dans le *Dracaena sanderiana*. La *Cordyline terminalis* se déploie entre les tulipes et le *Cryptanthus tricolore* est niché au pied.

tissez le blanc et le crème au chlorophytum, au lierre, au *Cryptanthus tricolore,* au *Dracaena sanderiana.*

Bien des plantes ont sur les tiges, les stipules ou les bractées, cette merveilleuse nuance pourpre qui tire sur le violet. Le rose de nombreuses fleurs est de la même tonalité. Mettez-les ensemble et vous verrez! Essayez donc le *Cordyline terminalis* avec des tulipes roses.

Examinez quelques plantes : vous y trouverez le bleu lavande de l'iris de Hollande, toutes les nuances subtiles — y compris les verts — des orchidées, les couleurs gaies des tulipes, et j'en passe. Et même si votre collection se réduit aux bonnes vieilles plantes éprouvées telles que le lierre, le rhoicissus ou l'aspidistra, vous verrez que les verts sombres mettent les fleurs en valeur.

Les coquillages, les épis séchés, les fruits, ajouteront de la couleur à la combinaison.

Un autre agrément est produit par le feuillage de nombreuses plantes d'appartement offrant une certaine analogie avec celui des fleurs et qui comblent le vide lorsque les fleurs sont vendues sans leurs feuilles.

Les fleurs à tiges lisses comme les arums et les iris bulbeux se marient heureusement avec la sansevière, le scindapsus, le tradescantia et le lierre.

LES FLEURS SÉCHÉES

Au début de ce livre, je vous disais que pour conserver longtemps vos fleurs, il fallait vous assurer de leur parfaite fraîcheur au moment de les cueillir ou de les acheter. Cependant, placée dans certaines conditions, aucune fleur ne dure. Le chauffage central, par exemple, peut tuer rapidement les fleurs délicates. Les combinaisons plante-fleurs décrites dans le chapitre précédent le supportent mieux que les simples fleurs coupées ; une plante, venue en serre et bien arrosée ensuite, continuera à pousser. Mais même les plantes finissent par succomber !

Heureusement, nombre de fleurs, de feuilles et autres éléments végétaux résistent aux pires conditions de chaleur et de sécheresse ! Ce sont les immortelles et toutes les espèces persistantes, si fascinantes. Elles permettent d'avoir une maison toujours fleurie. N'allez pas vous imaginer qu'elles sont ternes. Elles peuvent avoir autant d'éclat ou de délicatesse qu'on le désire.

Je possède, quant à moi, beaucoup de ces bouquets de fleurs séchées. Elles ne sont pas uniquement réservées aux compositions hivernales ; elles auraient plutôt tendance à faire « partie des meubles » ! Leur éventail est si étendu qu'on peut choisir des fleurs estivales et délicates telles que la rose ou l'hortensia bleu pour les chambres où les teintes pastel sont préférables, et des fleurs d'aspect plus vigoureux pour les vestibules et les séjours.

Des échinopes bleues (ou chardons bleus), des statices blanches et de la lavande disposées dans un bol chinois aux couleurs assorties font un décor de table charmant et durable.

Feuilles de vigne séchées, hélycrises, solidago (ou verge d'or),
épis de plantain, orge et joncs proviennent presque tous de mon jardin.

Si surprenant que cela puisse paraître, certaines supportent le lavage. Une fois sèches, elles peuvent resservir!

Ce que je ne cultive pas moi-même, je me le procure
dans la campagne ou au bord de la mer. Je complète
chez un fleuriste spécialisé qui en importe du monde
entier.

Beaucoup de fleurs persistantes peuvent compléter ou
remplacer des bouquets de fleurs fraîches et j'y ai déjà
fait allusion. Pour cette raison, ayez la sagesse de vous
en procurer plus qu'il ne vous en faudrait pour vos
bouquets de fleurs séchées.

En utilisant différentes variétés d'helichrysums, on peut réaliser de nombreux agencements de couleurs. Ici, on leur a ajouté des achillées, des gousses d'*Iris foetidissima* et des épis de clématite.

Éternité de certaines fleurs

La plupart des fleurs, coupées et sorties de l'eau, se ratatinent et meurent, mais certaines d'entre elles produisent des pétales qui ont une texture semblable à celle du papier ou de la paille et qui restent fermes et intactes. Cueillies avant la pollinisation, elles gardent leur forme et leur couleur.

La plupart appartiennent à la famille des marguerites ou *Compositae*. Ce sont les immortelles, soit annuelles, soit vivaces, c'est-à-dire à reproduction répétée. Il y en a des variétés fort jolies comme les *Helichrysum*. L'espèce annuelle est blanche, jaune, dorée, orange, rose pâle, rose, rouge, écarlate ou bronze foncé presque noir.

Les vraies immortelles se distinguent par leur texture semblable à celle de la paille. Mais d'autres fleurs, bien que n'étant pas des « fleurs de paille » peuvent être mises à sécher de façon fort naturelle. Ce sont les fleurs persistantes, dites encore perpétuelles. Séchées, elles ne gardent pas toute leur beauté, comme les vraies immortelles. Ce sont pourtant de bons éléments décoratifs. Dans cette catégorie, on remarque des fleurs qui ont un air de fraîcheur inattendu, comme le pied-d'alouette, le delphinium, l'hortensia, certaines roses, le chrysanthème pompon et quelques autres.

Depuis des siècles on cultive les graminées qui conviennent aux bouquets hivernaux. L'amourette ou brize, *Briza maxima;* la larme-de-Job, *Coix lacryma Jobi;* la queue-d'écureuil, *Hordeum jubatum,* entre autres.

Certaines espèces sauvages méritent d'être cueillies, ainsi que les céréales de culture : l'avoine, le blé, l'orge, le maïs — y compris certaines hybrides des jardins — ainsi que le riz et le millet, si vous habitez les régions adéquates.

Le résultat dépend du moment de maturité où l'on cueille l'herbe ou la fleur. Les jeunes fleurs ont des couleurs plus claires, des tiges plus fortes.

Cette variété de marguerite (helipterum) a le cœur jaune clair. Elle est ici accompagnée de statices blanches et jaunes et de *Briza maxima* ou amourette.

Fleurs à cultiver

Si vous voulez faire pousser certaines de ces fleurs vous-même, vous en trouverez la liste dans tous les catalogues de bons grainetiers. L'*Ammobium alatum* ou fleur des sables; la *Gomphrena globosa* ou amarante; l'*Helichrysum bracteatum,* marguerite dont il existe bien des variétés; l'*Helipterum manglesii,* parfois appelé *Rhodanthe manglesii;* l'*Helipterum roseum,* souvent appelé *Acroclinium roseum;* le *Limonium bonduelli, sinuatum, suworowii;* le *Limonium* est également appelé statice; la *Lonas inodora; Xeranthemum annuum, ligulosum* et *per-ligulosum.* Il y a également des fleurs vivaces, l'*Anaphalis margaritacea,* et de nombreux *Helichrysum,* dont certains ont des feuilles duveteuses ou « argentées », ainsi que le *Limonium latifolium* et *incanum.*

En dehors des immortelles proprement dites, citons l'*Amaranthus caudatus,* ou queue-de-renard, et ses proches parents, la crête-de-coq, le *Didiscus,* l'œillet

d'Inde, la rose d'Inde et les zinnias, mais pas l'espèce à fleur rouge. Ce sont des fleurs annuelles.

Les espèces « vivaces » sont nombreuses, mais je vous conseille vivement de vous exercer à faire sécher d'autres variétés. En grande partie, tout semble dépendre de la saison. Quand l'été est très chaud et très sec, la rose grimpante, le pélargonium, l'hélianthème, le bleuet sèchent bien, mais ces heureuses conditions ne se produisent pas tous les ans!

Voici les fleurs vivaces que je recommande de sécher : une bonne partie des achillées, y compris les diverses variétés de filipendules, dont la blanche, la *Ptarmica;* l'échinope, ou chardon bleu, et l'*Eryngium,* ou panicaut (celui qu'on trouve au bord de la mer sèche également, mais il pique, alors attention!), la gypsophile, encore mieux nommée *Salvia farinacea,* l'épiaire, la *Salvia* bleue. Plus le buddleia, la bruyère, l'hortensia, la lavande et les chatons de toutes sortes.

(A gauche) Les épis tels que ceux de la cardère, de certaines graminées, du jonc des marais, les helichrysums et les statices vivent longtemps.
(A droite) Des fleurs qui ne sont pas des vraies persistantes comme l'hortensia, le pied-d'alouette et le mimosa peuvent également se faire sécher.

(Ci-contre à gauche) Les capsules de pavot sont souvent importées, mais on peut aussi utiliser le pavot de jardin. Ses gousses vertes gardent leur couleur.

(Au centre à gauche) La texture des gousses de yucca ressemble fort à celle du bois; cette caractéristique est commune à beaucoup de liliacées. On peut diviser les grosses grappes.

(En bas à gauche) Ouverts, les épis de maïs vert forment des « fleurs » géantes. Présentées de cette manière, certaines variétés américaines aux grains multicolores sont particulièrement attrayantes.

(Ci-dessous) Les gousses de gombo peuvent être montées individuellement.

(Ci-contre, à droite) Les artichauts et les cardons font de magnifiques perpétuelles et sont idéals pour les bouquets importants.
Il faut les couper encore jeunes.

(Au centre, à droite) De nombreux arbres donnent des fruits qui valent la peine d'être récoltés. Les samares d'érable, de couleur vive, doivent être cueillies assez tôt. En séchant, elles prennent une teinte de biscuit.

(En bas, à droite) Tous les chardons sont remarquablement décoratifs, mais il faut les manier avec précaution.

(Ci-dessous) Les splendides fleurs de magnolia produisent des gousses d'une forme et d'une texture intéressante. Quand on les utilise dans des compositions en hauteur, il est nécessaire de les tiger.

Fougères séchées, cardères, épis et cônes de mélèze servent de toile de fond permanente à quelques anémones écarlates arrangées séparément dans l'eau.

Méthodes de conservation

Comme vous le montrent les illustrations des pages précédentes, on peut également faire sécher d'autres parties des plantes persistantes. Non seulement les feuilles, mais aussi les racines, les gousses et les cosses.

La plupart de ces éléments sèchent sur pied et doivent être cueillis avant d'être détériorés par la pluie ou le gel.

Pour la majorité des vraies immortelles et autres fleurs déjà décrites, il faut faire de petites bottes et les suspendre la tête en bas dans un endroit frais, sec et sombre, de surcroît, les couleurs en seront plus vives. Une grande lumière donne aux herbes l'aspect du foin.

La cueillette doit se faire par temps sec et avant les gelées. En période d'humidité, votre récolte mettra plus longtemps à sécher; faites de très petites bottes et séparez bien les éléments pour que l'air circule entre eux.

Mis à part les vraies immortelles qui deviendraient trop friables si on leur appliquait ce traitement, toutes les fleurs se trouvent souvent mieux d'être séchées rapidement dans un endroit chaud, tel un séchoir à linge. Un grillage installé horizontalement soutiendra les fleurs à corolle ronde et plate, comme, par exemple, les zinnias ou les *Helichrysum*. Enfilez la tige dans le grillage sur lequel la tête reposera.

L'*Helichrysum* est facilement étêté. Pour l'éviter, coupez la tige très court et enfilez-la sur du fil de fer en prenant soin de ne pas percer la corolle; suspendez la fleur par la tige ou donnez-lui le soutien d'un grillage jusqu'à ce qu'elle soit sèche.

Pour conserver les branches, les aigrettes duveteuses de la vigne blanche ou des épis verts, par exemple, préparez une solution d'un tiers de glycérine et deux tiers d'eau. Faites bouillir le mélange et versez dans un récipient étroit et haut afin que les tiges trempent dans la solution sur 5 à 7 cm suivant leur longueur. Si on utilise une boîte en fer ou un bocal de verre, le mettre dans un seau pour l'empêcher de verser.

Pour qu'une feuille ne conserve que son réseau de nervures, la faire tremper plusieurs semaines dans de l'eau de pluie; la faire glisser ensuite entre les doigts pour la débarrasser de sa « chair »; puis, laver à l'eau courante, faire tremper dans une solution décolorante et sécher dans du papier journal. Pour faire sécher des fougères, les presser entre les pages d'un livre.

Séchage des fleurs par un dessiccatif

Peut-être avez-vous entendu parler de fleurs qu'on fait sécher en les enterrant dans du sable; cette manière de faire n'est pas à recommander car le sable est si lourd qu'on ne peut y enfouir profondément la fleur sans risquer de l'abîmer. Le borax et le gel de silice sont plus légers mais plus coûteux. Pourtant, les cristaux peuvent servir indéfiniment. Certaines personnes font un mélange de borax et de sable. Je préfère le gel de silice.

A moins d'avoir une quantité de dessiccatif suffisante pour remplir des boîtes assez profondes pour contenir entièrement les tiges des fleurs, il faut raccourcir celles-ci. On devra, par la suite, remplacer la partie coupée par du fil de fer qu'il sera nécessaire d'habiller de papier crêpe pour le dissimuler.

On peut utiliser des boîtes hermétiques et si l'on n'est pas certain que les couvercles ferment bien, les fixer à l'aide de ruban adhésif.

La marche à suivre est celle-ci : mettre une couche de

On peut sécher les fleurs en les enfouissant complètement dans du dessiccatif tel que le gel de silice. Ne pas omettre de verser du dessiccatif entre chaque pétale.

dessiccatif au fond de la boîte; disposer les fleurs sur cette couche en tenant compte de leur genre; par exemple, les pétales d'une pensée s'étaleront, la rose aura besoin d'être saupoudrée de dessiccatif entre chaque pétale, la marguerite demandera à être posée à plat sur la corolle, tige en l'air.

Il faut soutenir les fleurs placées côté endroit pendant qu'on verse le dessiccatif qui doit les recouvrir entièrement. Le temps que met une fleur à sécher dépend beaucoup de l'espèce à laquelle elle appartient. En règle générale, il faut de un à cinq jours. Pour certaines espèces, on peut utiliser un séchoir à linge : les bleuets ou les fleurons individuels du delphinium, par exemple, qui sècheront plus vite qu'une fleur charnue. Mais il s'agit surtout de procéder par tâtonnements. Si vous voyez que certaines fleurs se brisent une fois séchées, essayez de badigeonner la base des pétales de gomme arabique avant de les recouvrir. Afin de contrôler, videz assez de dessiccatif pour découvrir une fleur et tâtez.

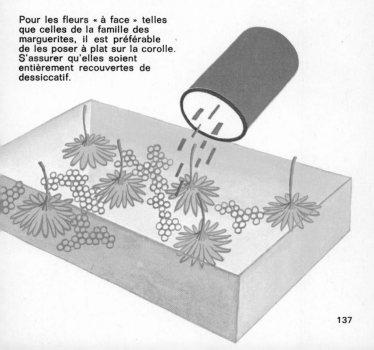

Pour les fleurs « à face » telles que celles de la famille des marguerites, il est préférable de les poser à plat sur la corolle. S'assurer qu'elles soient entièrement recouvertes de dessiccatif.

Les pommes de pin et bien
d'autres éléments sans tiges,
de texture rugueuse ou
écailleuse, peuvent être montés
comme vous l'indiquent les
illustrations. Prenez un long fil
de fer de fleuriste et glissez-le
entre les écailles. Appuyez
fortement pour qu'il soit
dissimulé par la base
des écailles.

Torsadez le fil et donnez aux
deux extrémités la longueur
approximative d'une tige qui
pourra être allongée en la fixant
sur un autre fil de fer ou
une mince baguette. On peut
assembler plusieurs baguettes
en attachant ensemble leurs fils
de montage.

Tirez sur le fil qui entoure
le cône afin qu'il soit bien ajusté
entre les écailles. Pour que le fil
de fer soit maintenu à plat
contre le cône, courbez ses
deux tiges vers le bas avant
de les torsader.

Si la courte tige d'un élément tel que cette capsule de lotus est molle ou creuse, prenez un petit bout de fil de fer et insérez-le le plus loin possible dans la tige. Glissez ensuite la partie qui dépasse dans une paille et poussez pour que paille et tige se rejoignent.

Les tiges postiches en fil de fer sont généralement assez résistantes pour toutes les feuilles, sauf si elles sont très grandes. Montez les feuilles en « coques » comme indiqué ci-dessous.

On peut renforcer légèrement les feuilles de petite taille en rabattant la « coque » en arrière sur les deux tiers de la longueur avant de passer le fil autour du pétiole.

Pour monter une « coque », faites une boucle avec l'une des extrémités du fil de fer et plaquez-la sur l'envers de la feuille. Passez l'autre extrémité autour de la feuille et faites un nœud. Tirez les deux parties vers le bas pour en faire une « tige ».

Il peut être nécessaire de soutenir les feuilles trop molles par une armature de fil de fer fin. Le faire *avant* le séchage naturel, mais *après* l'opération par méthode chimique.

Des petits bouquets de marguerites des champs, munis chacun d'une collerette de feuilles de lierre, sont simplement disposés en cercle sur un plat, autour d'une bougie.

FLEURS POUR RÉCEPTIONS

Si les bouquets destinés aux réceptions doivent être jolis, ils peuvent néanmoins être très simples et ne pas demander plus de quelques minutes de travail.

Si les fleurs ne sont pas récupérables, un des plus charmants décors de table consiste à placer un bouquet ou une boutonnière devant chaque convive. Le lierre et autres feuillages sont utiles; ils vous permettent de dessiner, par exemple, un long « S » d'un angle à l'autre de la table, ou de festonner le pourtour d'une table dressée en buffet; garnissez de petits bouquets réguliers. La décoration très simple composée de petites bottes de marguerites que vous voyez *ci-dessus* peut être réalisée avec d'autres fleurs et permettre bien des variantes.

Pour gagner du temps, mélangez fruits et fleurs sur la table. Les camélias, les arums, les glaïeuls et les orchidées, parmi tant d'autres, supportent le manque d'eau; donc, aucun souci si le vase bascule.

Glaïeuls et feuilles de laurier
assemblés sur un pique-fleurs
à pointes dans un récipient bas,
derrière un plateau de fruits.

Vous pouvez utiliser de la mousse Oasis sèche pour disposer les fruits à diverses hauteurs. La pomme la plus ronde ne bougera pas si vous appuyez légèrement dessus pour la caler. Et la mousse servira en même temps à maintenir les tiges des fleurs en place.

L'épi du glaïeul contraste agréablement avec la forme arrondie de la plupart des fruits. Les couleurs s'harmonisent facilement car dans les rouges, les abricot, les jaunes des fleurs, on retrouve certaines couleurs des fruits.

Ces fleurs demandent si peu d'eau pour tenir quelques jours que vous pouvez choisir un récipient vraiment peu profond pour y mettre le lourd pique-fleurs sur lequel vous les planterez. Dissimulez ce récipient sous une feuille de laurier par exemple, et vous pourrez disposer les fruits tout près des tiges des fleurs. Avec les glaïeuls, les jonquilles, les iris, vous aurez vite fait : confectionnez un bouquet en dégradé, égalisez les extrémités des tiges et plantez le bouquet sur le pique-fleurs.

Vos fleurs peuvent briser la glace!

Pour qu'une décoration florale fournisse un sujet de conversation dans une réception, il faut qu'elle soit attrayante autant qu'originale. Souvent, l'originalité consiste à rechercher un moyen rapide et facile de disposer les fleurs ou de créer une masse de couleurs. Ayez à portée de la main quelques accessoires utiles : plats à gâteaux, petits napperons et dessous de plats, bougeoirs lourds et bas, faciles à dissimuler parmi les fleurs et les fruits disséminés sur la table.

Nous avons déjà vu comment on peut échafauder une combinaison de récipients et d'ornements variés pour disposer les fleurs. Pour un dîner, utilisez certaines pièces du service que vous aurez choisi pour dresser votre table et dans les plats duquel les mets seront servis.

L'illustration de la page 54 vous montre des petits plats placés l'un sur l'autre. On peut également utiliser des couvercles de légumiers. Une fois retournés, ils s'adaptent très bien sur un verre, parfois même sur un coquetier; tout dépend de ce dont vous disposez.

Des ananas en guise de chandeliers s'installent aisément dans des verres à vin. Les napperons leur donnent à chacun un petit air de fête. On a passé les tiges des chrysanthèmes pompon dans les mailles de la dentelle.

Une assiette dressée sur un bloc d'Oasis peut cacher les tiges des fleurs arrangées derrière elle; des fleurs plus courtes seront disposées de façon à sembler s'échapper de l'assiette et dissimuleront son support.

Je ne vois pas pourquoi, en certaines circonstances, on n'« habillerait » pas des éléments de plantes de serre. Par exemple, des feuilles de cycas montées sur de fausses tiges donnent un fond original à des bouquets de grandes dimensions. Mais le vert sombre des frondes séchées ne convient pas toujours à toutes les gammes de couleurs : par exemple, celles d'un buffet de mariage. Cependant, en projetant à l'atomiseur un vernis clair qu'on recouvre ensuite de poudre pailletée, on transforme le décor. La poudre argentée, dorée, bleue et même verte, conserve efficacement les fougères. Les garnitures d'arbres de Noël donnent également un peu d'éclat à un bouquet. On trouve des boules toutes montées dans le commerce. Selon le genre de la composition, on peut soit les grouper comme des grappes de raisin, soit les disséminer.

(A gauche) Les décors en hauteur conviennent aux tables dressées en buffet. Des cônes comme celui-ci vous permettent d'utiliser des ramilles de verdure et des fleurs à tiges courtes. Des boules de Noël, montées sur des cure-pipes, apportent une note de réjouissance.

(A droite) Pour les grandes occasions, on peut revêtir les plantes d'une toilette de cérémonie grâce à la peinture et à la neige artificielle ou aux paillettes. Les boules de Noël font bel effet parmi les fleurs. Il faut les monter sur des tiges postiches.

Décors pour repas de Noël

A Noël, bien des tables sont décorées, sinon avec des fleurs, du moins avec des branches de sapin. Les éléments de la décoration ne sont pas nécessairement arrangés dans l'eau bien que ce soit préférable pour leur conservation. L'une de mes méthodes préférées, c'est l'emploi de deux branches de sapin qui constituent à la fois le récipient et la base.

Une fois coupées, les branches placées tête-bêche et ramenées l'une contre l'autre sur une dizaine de centimètres doivent avoir la longueur désirée pour le décor. Liez solidement les extrémités et assurez-vous que les branches restent bien à plat.

Avec quelques branches de conifères, des bougies et des boules de Noël ou des fleurs persistantes, on réalise rapidement un décor de table de réveillon. Commencez par attacher les tiges ensemble.

Prenez un rouleau de grillage, placez-le au centre sur l'attache des branches et fixez-le à l'aide de fil de fer. Installez les bougies en les insérant dans le grillage. Ne vous inquiétez pas si elles penchent un peu, vous pourrez les caler grâce aux autres petits rameaux de sapin que vous disposerez autour d'elles. Voici donc la forme de base !

Une autre variante de la composition « circulaire » : pour des petites décorations, utilisez des morceaux de grillage et une seule bougie.

Pour obtenir un contraste dans les tons de vert, il faut varier les feuillages. Les petites branches duveteuses, diaprées et argentées, font bel effet ; de même, les baies et autres fruits, les boules colorées, le lichen persistant, sans compter les champignons artificiels !

Si votre préférence va à la décoration sur base, la méthode n'est, en fait, pas tellement différente. Les plats à gâteaux en bois fournissent, à mon avis, une assise très pratique. Appuyez légèrement sur la bougie pour la maintenir, après l'avoir passée dans le grillage.

Rappelez-vous : plus la bougie est haute ou plus elle est lourde, plus il vous faudra de grillage.

Dans ce décor de Noël, on a utilisé comme support une petite planche à gâteau. Du grillage maintient tout le feuillage et les boules de couleur contrastent avec le vert des éléments végétaux.

Anémones, cupressus doré et houx. Pour que le houx donne le maximum de sa couleur, il peut être nécessaire d'ôter quelques feuilles.

Autres décors de Noël

La forme aplatie des branches de sapin et de certaines autres plantes à feuillage persistant est à la fois commode et attrayante; elle mérite d'être exploitée; une branche latérale est pyramidale.

J'aime les bouquets composés de quelques fleurs avec une branche de sapin comme toile de fond.

Si les tiges des fleurs sont courtes, on peut les disposer très bas pour laisser voir la forme de la branche. J'ai souvent saupoudré des branches de neige artificielle et je les ai suspendues avec des étoiles et des boules.

Pour allonger un peu la ligne et varier les couleurs et l'ambiance, vous pouvez disposer les boules áu-dessus des fleurs rondes placées assez bas. Installez-les en dégradé afin que la plus petite se trouve au sommet.

Les feuillages persistants demandent un certain entretien. Lavez les feuilles à l'eau tiède et si vous les voulez vraiment brillantes, enduisez-les, ensuite, d'un peu d'huile d'olive. Les branches de houx lourdement chargées de baies semblent plus colorées si l'on en coupe soigneusement quelques feuilles. Pour garder aux baies leur aspect charnu, on peut essayer de les vaporiser de vernis clair mais elles risquent de noircir. Conservez leur fraîcheur aux baies et aux feuillages en les arrangeant dans de l'eau additionnée d'un peu de solution nutritive.

Le sapin bleu perd rarement ses aiguilles; il a plutôt tendance à sécher. Le thuya, le cyprès également, mais ils peuvent s'effriter au toucher. Pour tous, une vaporisation de vernis assure une conservation rapide.

Pour une décoration de Noël, une branche plate de sapin ou autre conifère fournit un fond dont la forme s'adapte parfaitement avec quelques fleurs. Ici, des jonquilles de serre accompagnées d'elaeagnus panaché et de baies de houx.

LES EXPOSITIONS DE FLEURS

L'une des choses les plus agréables dues à l'influence des associations florales, c'est qu'on expose de plus en plus de fleurs; le grand public, qui peut en profiter, est généralement confondu devant la beauté des fleurs et l'habileté de ceux qui les arrangent.

Il semble que nos églises retrouvent brusquement leur gloire médiévale lorsqu'un groupe de floralistes s'y rend pour organiser un festival de fleurs. D'imposantes demeures campagnardes sont rajeunies par les grands vases et les piédestals garnis de fleurs qui flanquent le grand escalier. La salle des fêtes du village est transformée par l'arrivée des membres de l'association chargés de draperies, de tables et d'une multitude de fleurs.

Et ce n'est qu'une des conséquences bénéfiques dont les associations florales sont responsables. Très souvent, de belles compositions sont simplement exposées mais ne sont pas jugées. Ce qui ne veut pas dire que la qualité en soit inférieure car on exige le plus haut degré d'excellence de tous les exposants.

Des jonquilles et des tulipes, en compagnie de glaïeuls un peu plus pâles et d'amaryllis, encadrent de hautes bougies d'un blanc pur dans une décoration sur le thème de Pâques.

Il y a aussi des concours où les bouquets sont assemblés, montés, et ensuite jugés d'après le plan d'exécution établi par l'association.

Les concours ne sont pas toujours organisés par les associations florales mais dans ce cas, les juges sont toujours accrédités, en stricte observance des règles imposées par l'association. Dans d'autres expositions florales, généralement patronnées par des sociétés d'horticulture, il se peut qu'un juge ne soit pas tenu d'observer les mêmes règles.

Inévitablement, le plan d'exécution doit servir de guide mais cela varie suivant l'importance et la nature de l'exposition. Le sujet imposé d'un petit concours de village peut être très simple et ne donner que peu d'indications au candidat; alors que celui d'une exposition plus importante sera plus compliqué mais définira plus clairement ce qui est demandé.

Avant d'utiliser des graminées, des baies ou n'importe quel élément végétal autre que des fleurs, assurez-vous que cela n'est pas en contradiction avec l'énoncé du sujet.

L'importance du détail

En tant que membre du jury, j'ai bien souvent été déçue d'avoir à éliminer une composition très réussie parce qu'un petit détail ne respectait pas les normes imposées. Par exemple, dans un bouquet où le feuillage est exigé, une fleur en bouton, ou un cône, étaient employés en raison de leur couleur verte.

Il y a parfois malentendu sur un terme qui peut avoir une signification pour le botaniste et une autre pour le profane. Pour moi, le mot « fruit » englobe tout ce qui provient de la fleur, que ce soit une gousse, un épi ou une banane. Mais les gens qui établissent le sujet de la composition ne parlent peut-être que des fruits comestibles! Les énoncés devraient toujours être clairs et concis pour que le candidat les interprète correctement.

La taille d'une composition est également importante. L'espace étant souvent restreint, chaque candidat se voit assigner une place déterminée. L'énoncé du sujet devrait lui en indiquer les dimensions.

A mon avis, les exposants ont tendance à mésestimer l'importance de ces dimensions. En général, les organisateurs s'arrangent pour que chaque exposant ait sa propre alcôve. J'ai souvent contemplé des bouquets si volumineux qu'ils prenaient toute la place, ce qui leur ôtait de leur beauté. Par contre, il m'est aussi arrivé d'admirer des compositions en regrettant de ne pouvoir leur attribuer un prix car elles étaient si petites qu'elles semblaient perdues.

L'équilibre et la proportion sont deux qualités recherchées par un jury. Si le bouquet n'est pas à l'échelle du cadre où il est exposé, on ne remarquera pas l'harmonie de ses proportions.

Beaucoup de très beaux bouquets ont manqué un premier prix à cause d'une tige, d'une feuille ou d'une fleur fanée avant la présentation au jury. Les éléments d'une composition de concours doivent être bien nettoyés et préparés. La question a été traitée au début de ce livre.

Quand on utilise des accessoires de toutes sortes, il s'agit d'une véritable « composition » comme c'est le cas ici, où des arums entourent une bougie et une statuette « Ming ».

La couleur et l'état des matériaux peuvent beaucoup pour rehausser la beauté et la qualité d'un arrangement. Les accessoires employés doivent également être impeccables.

Conseils sur la présentation

Je suis souvent surprise de voir, à une exposition, une composition à laquelle on a manifestement consacré beaucoup de temps et de réflexion, présentée sur un morceau de tissu chiffonné et parfois même taché. Le jury apprécie le soin apporté au moindre détail. Il faut nettoyer les feuillages et les vases, repasser les draperies.

Une fois votre œuvre achevée, prenez le temps de l'examiner attentivement d'un œil critique. Dans un concours où je faisais partie du jury, j'ai dû déclasser un bouquet qui aurait mérité le premier prix parce que la corolle de la fleur la plus en vue, une digitale, grouillait de pucerons!

Assurez-vous qu'aucun des éléments ne risque de faire siphon. La vieille règle japonaise stipulant que la tige la plus courte ne doit pas reposer sur le vase est peut-être fondée sur le bon sens! Il arrive parfois que l'eau du vase se répande sur la table par le canal d'une feuille, surtout si elle est duveteuse.

Un autre point quelquefois négligé, c'est celui du

Le soin apporté à la présentation joue un rôle important surtout lorsque la composition dépend des contrastes de textures et de formes plutôt que des couleurs. Echeveria, feuillage de *Begonia Rex*, zébrina et fleurs d'eryngium s'harmonisent avec l'éclat pur du présentoir et de l'assiette d'étain.

(Ci-dessous) On peut cacher les pique-fleurs avec toutes sortes d'accessoires. Ici, les quelques pierres rappellent à la fois la ligne et les couleurs des tiges des arums jaunes.

pique-fleurs. Il doit être entièrement invisible, même du côté que le jury ne verra sans doute pas.

J'ai remarqué que les pique-fleurs sont souvent plus grands qu'il n'est nécessaire. Si l'arrimage est solide, ils peuvent être petits, donc aisément dissimulés. Comme je l'ai déjà dit, les moyens utilisés pour cacher un pique-fleurs donnent souvent plus de caractère et d'allure au bouquet. Mais assurez-vous que les accessoires employés soient en harmonie avec le style de la composition.

Interprétation d'un thème

Dans de nombreux concours, on pose aux concurrents des « colles » leur demandant d'interpréter un sujet. Parfois, l'exposition elle-même fait l'objet d'un thème général; dans ce cas, les colles auront un rapport avec lui. D'autres fois, le sujet ne comporte qu'une ou deux colles qui permettent aux candidats de réaliser une création sortant de l'ordinaire.

Les floralistes expérimentés s'en tirent sans peine, mais, en cours d'année, je reçois bien des lettres de novices embarrassés qui me demandent comment il est possible de composer un bouquet qui représente, par exemple, un titre de chanson. Il m'est difficile de répondre, car je sais que, dans un concours, l'originalité bénéficie de quelques points supplémentaires. C'est l'exposant qui doit trouver son propre thème. Je ne donnerai donc qu'un simple exemple : *La dernière rose de l'été,* où l'on ne présente qu'une seule rose au milieu d'éléments qui suggèrent l'arrivée de l'automne.

Peut-être devrais-je dire qu'une idée qui semble originale à un exposant peut paraître banale à un membre du jury qui visite maintes expositions, nationales ou internationales. Il faut vraiment être très original pour obtenir un premier prix!

Il est souvent plus facile d'avoir un thème imposé que d'en inventer un. Mais le risque est aussi plus grand de voir un autre concurrent suivre la même idée que vous. Dans ce cas, ne vous laissez pas déconcerter. Continuez, mais ne perdez pas de vue que la concurrence va devenir serrée; soignez donc particulièrement les détails et attachez-vous à ne pas perdre de points sur la composition.

Une dernière chose. Vous n'avez peut-être pas songé qu'il existe deux sortes de fleurs : les modernes et les anciennes, assez caractéristiques pour qu'on les différencie facilement. La plupart des fleurs de fleuristes sont des variétés modernes; si vous cherchez à interpréter un thème du temps passé, vos chances de réussite seront plus grandes avec des fleurs connues à l'époque choisie.

(A gauche) Porcelaine de Saxe. Branche printanière, éricacées, groseilles, pomme et deutzia accompagnent des jacinthes, des narcisses, des primevères et du muguet dans un vase ravissant qui rappelle leurs couleurs.

« Le Ciel et la Terre. » Tel est le titre que j'ai donné à ce bouquet composé de trois hortensias, de feuilles de carduacea et de capsules de clématites.

SI VOUS VOULEZ EN SAVOIR DAVANTAGE

BAYARD J.-P. et COESSENS J. etc. *Art floral et fleuriste-rie.* Baillière, 1965.

BOISSEL H. de. *Faites vos bouquets vous-même.* Eyrolles, 1969.

CHIMAY J. de et MORIN M. *Fleurs et décoration.* Baillière, 1962.

DUINO M. *Les fleurs de mon jardin.* Gérard, 1969.

DUVERNEAY J.-M. et ROMAGNESI H. *Fleurs du jardin et des serres.* Bordas, 1962.

GUYOT L. et GIBASSIER P. *Les noms des fleurs.* PUF, 1968.

JAEGER P. *La vie étrange des fleurs.* Horizons de France, 1959.

JOFFET R. *Fleurs et jardins.* La documentation française, 1954.

JOVET P. et S. *Fleurs de jardin.* Nathan, 1958.

MACQUEEN S. *L'art du bouquet.* L'Inter, 1965.

Sous-direction Jean Noël. *Je veux fleurir maison et jardin.* Editions Montsouris, 1966.

OHARA H. *Ikebana, l'école du bouquet au Japon.* Bibliothèque des Arts, 1967.

SAMSON BAUMANN C. *Le manuel du fleuriste.* Baillière, 1962.

S. auteur. *Les fleurs dans la maison.* La Maison rustique, 1954.

Revues

Ami des jardins et de la maison, 10, bd Poissonnière, Paris.
Amis des Roses, Parc de la Tête d'Or, Lyon.
Le Chrysanthème, 26, place Tolozan, Lyon.
Revue internationale des fleuristes, 14, rue de Bretagne, Paris.
Rustica, 12, rue Blaise-Pascal, Neuilly.

INDEX

TITRES PARUS
OU À PARAÎTRE DANS
LA MÊME COLLECTION

Sciences naturelles

Les Animaux préhistoriques
Les Chats
Chevaux et Poneys
Les Chiens
Le Comportement des Oiseaux
Les Félins
L'Homme préhistorique
Les Mammifères
Le Monde des Plantes
Les Perruches
Les Poissons
La Pêche en mer
Les Rapaces
Les Serpents
La Vie dans les océans

Sciences et techniques

L'Électronique
L'Énergie atomique
Les Chemins de fer
Les Mathématiques
Microscopes et Vie microscopique
Les Ordinateurs
Voiliers de tous les temps

Vie pratique

L'Art du bouquet
Les Arbustes de jardin
Les Fleurs du jardin
Yachting

Arts décoratifs

Les Bijoux

Histoire et mythologie

Découverte de l'Afrique
Mythes et légendes de l'Égypte ancienne
Découverte du Japon

Printed in Italy by Officine Grafiche
Arnoldo Mondadori Editore - Verona
Dépôt légal 1970 - 4e - 29527 - 11 - 70